C0-AMI-641

Fantômette

et le Dragon d'or

GEORGES CHAULET

Le texte de la présente édition a été revu par l'éditeur.

Illustrations : Laurence Moraine.

Hachette Livre, 43 quai de Grenelle, 75015, Paris.

Fantômette
et le Dragon d'or

GEORGES CHAULET

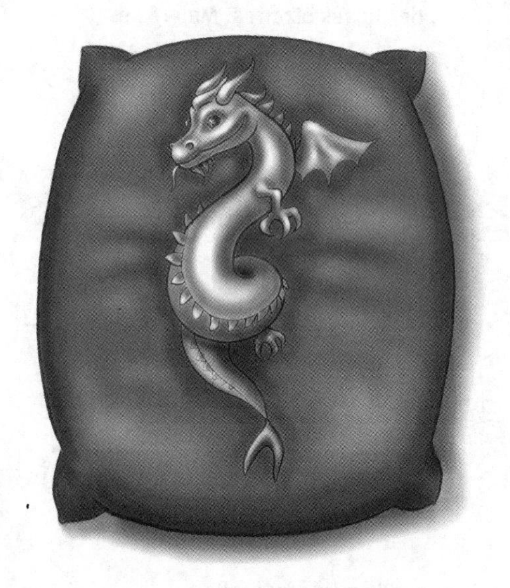

Françoise

Sérieuse et travailleuse, Françoise est une élève modèle qui se passionne pour les intrigues. Vive, pleine de bon sens et intrépide, n'aurait-elle pas toutes les qualités d'une parfaite justicière ?

Ficelle

Excentrique, Ficelle collectionne toutes sortes de choses bizarres. Malgré ses gaffes et son étourderie légendaire, elle est persuadée qu'elle arrivera un jour à arrêter les méchants et à voler la vedette à Fantômette...

Boulotte

Gourmande avant tout, elle se moque pas mal du danger... tant qu'il y a à manger !

Mlle Bigoudi

Si elle apprécie Françoise, l'institutrice s'arrache souvent les cheveux avec Ficelle et lui administre bon nombre de punitions. Que penserait-elle si elle était au courant des aventures des trois amies !?

Œil de Lynx

Reporter, il suit de près les méfaits des bandits. Il est le seul à connaître la véritable identité de Fantômette et n'hésite pas, à l'occasion, à lui filer un petit coup de main !

Chapitre 1

Où Fantômette gonfle un chewing-gum

— Et voilà, pas plus difficile que ça !

Ça y est, le Furet vient de voler une fourgonnette en compagnie de ses complices, le gros Bulldozer et l'élégant Alpaga. Le chauffeur était descendu pour aller acheter des cigarettes, sans prendre la précaution d'arrêter le moteur et d'emporter la clef. Les trois bandits, qui attendaient tranquillement cette occasion devant le bureau de tabac, ont bondi dans le véhicule. Bulldozer a démarré en faisant rugir le moteur.

On voit le propriétaire sortir précipitamment du bureau de tabac, en se maudissant de n'avoir pas gardé la clef. La mercière voisine, qui fermait sa boutique, s'approche de l'automobiliste et s'écrie :

— J'ai tout vu, monsieur ! Et j'ai relevé le numéro de votre voiture…

— Merci beaucoup, madame. Vous êtes très intelligente.

— On me l'a toujours dit, mon bon monsieur.

Les trois bandits traversent en fusée la petite bourgade de Mercy-Yapadquoi dont les lumières commencent à briller, puis le gros Bulldozer allume les phares, et l'on s'élance sur la route de Framboisy. Alors qu'ils parviennent dans les faubourgs de la ville, le Furet désigne un bâtiment en construction.

— Bulldozer, arrête-toi là une seconde.

— Pourquoi, patron ?

— Il nous faut un truc lourd.

— Ah ! Oui, vous avez raison, chef…

Bulldozer descend, s'empare de deux ou trois briques et remonte. La fourgonnette circule maintenant avec plus de lenteur, longeant l'avenue Petit-Patapon. Elle tourne sur la place Ticot, s'engage dans le boulevard Théodore-Théophile, l'artère la plus commerçante de la ville.

— Voilà, ça y est !

Le Furet désigne un magasin d'appareils électroménagers. Derrière la vitrine s'alignent des téléviseurs, des enregistreurs, des lecteurs audio. Bulldozer freine sèchement. Le Furet et Alpaga sautent hors du véhicule, jettent les briques dans la vitrine qui vole en éclats, et mettent la main sur le matériel exposé.

C'est alors qu'un singulier personnage apparaît au bout du boulevard, juché sur un cyclomoteur électrique de couleur rouge. Une sorte de farfadet vêtu de soie jaune, coiffé d'une cagoule noire, dont la cape de soie écarlate voltige au vent. C'est Fantômette, la justicière masquée.

Un rapide coup d'œil lui suffit pour juger de la situation : des voleurs sont en train de piller le *Super-Confort électrique.* Elle s'arrête, appuie son cyclomoteur contre une cabine téléphonique, entre et forme le 17 sur le cadran.

— Allô ? Le commissariat de Framboisy ? Il y a du travail pour vous dans le boulevard Théodore-Théophile.

Elle raccroche, sort de la cabine, s'avance vers le magasin où le Furet et Alpaga continuent leur déménagement sans être inquiétés par les rares passants qui se hâtent de rentrer chez eux. Et la jeune justicière se dit que les malfaiteurs risquent fort de s'en aller avant l'arrivée de la police. Il faudrait les empêcher de se sauver. Mais comment ?

En s'approchant, elle reconnaît la mince silhouette du Furet et son nez pointu. L'élégant bandit qui transporte un magnétoscope ne peut être qu'Alpaga. Quant au lourdaud qui se trouve au volant, c'est évidemment Bulldozer.

Fantômette sort d'une petite poche de sa tunique un chewing-gum gonflable vert (à la chlorophylle) et se met à le mastiquer en réfléchissant. Que faire ? Elle n'a pour toute arme que le mince poignard glissé à sa ceinture. C'est bien peu pour combattre trois hommes résolus, qui possèdent sûrement des armes à feu. Silencieusement elle se glisse le long des voitures qui stationnent sur le boulevard, parvient jusqu'à la fourgonnette, regarde en direction du magasin. Le Furet et Alpaga ont maintenant complètement vidé la vitrine. Cela ne doit pas leur suffire, puisqu'ils pénètrent à l'intérieur du magasin pour y trouver d'autres appareils. Pendant ce temps, Bulldozer est seul.

Fantômette réagit vite. Elle souffle le chewing-gum pour le gonfler, en fait un petit ballon, ouvre la portière de la fourgonnette. Bulldozer la regarde d'un œil rond, surpris par l'apparition de la jeune aventurière. Fantômette saisit alors le ballon et le plaque sur le visage du bandit. Aveuglé par cette pâte verdâtre qui lui colle les yeux, le gros bandit grogne :

— Hein ? Qu'est-ce que c'est ? J'y vois plus rien, moi ! En voilà, des manières !

Le Furet et Alpaga ressortent alors du magasin, chargés d'appareils électroniques. Le chef des bandits découvre Bulldozer en train de se frotter le visage.

— Qu'est-ce qui t'arrive ?

— Je viens d'être agressé par Fantômette, chef !

— Quoi ? Qu'est-ce que tu racontes ? Fantômette ?

— Elle m'a collé sur la figure une espèce de ballon… du chewing-gum, on dirait.

Le Furet regarde autour de lui. Aucune trace de l'aventurière. Pourtant, Bulldozer n'a certainement pas inventé ce qu'il dit. D'abord, il serait bien incapable d'inventer quoi que ce soit. Ensuite, il y a les traces verdâtres sur son nez, ses joues et ses paupières. Le Furet murmure :

— Si Fantômette est dans les parages, ça risque de tourner mal pour nous. Filons !

Il remonte dans la fourgonnette, ordonne :

— Allez, Bulldozer, démarre ! Ne restons pas dans le coin !

Penché sur son volant, le gros Bulldozer tripote le tableau de bord. Le Furet s'impatiente :

— Eh bien, qu'est-ce que tu attends ?

— Patron... Je... je ne trouve pas la clef...

— Hein ? Tu l'as enlevée ?

— Mais non ! Je n'y ai pas touché... Elle n'est plus là ! Je n'y comprends rien...

Le Furet grince :

— Je comprends, moi. Si Fantômette est venue ici, elle t'a pris la clef sous le nez. Et toi, tu n'as rien vu, bien entendu ! Allez, on dégage !

Les trois hommes sortent du véhicule, s'élancent au pas de course en direction de la place Théodore-Théophile. Bien mauvaise idée, car c'est précisément de cette place que débouche un grand car bleu et blanc surmonté d'un gyrophare.

La police.

Fantômette ne prend pas la peine d'assister à la capture de la bande. Elle remonte sur le cyclomoteur en sifflotant *Autrefois j'étais disco*, se dirige à petite vitesse vers la rue des Roses.

« Pauvre Furet ! Il n'a décidément pas de chance avec moi. Il va encore être obligé de combiner une nouvelle évasion. Enfin, ça lui occupera l'esprit... »

Elle arrive devant le n° 13, une villa en forme d'O.V.N.I.[1], et lance un sifflement aigu, ce qui provoque l'ouverture du portail. Elle traverse le jardin, franchit d'un bond les cinq marches du perron, glisse une clef dans la serrure.

Dans son dos, une voix lance :

— Bonsoir, Fantômette !

---

1. Objet Volant Non Identifié : sorte de soucoupe volante que les gens imaginatifs croient voir lorsqu'ils ont trop bu de whisky.

chapitre 2
Le talisman

La justicière fait volte-face et se trouve nez à nez avec un gros homme en smoking qui tire sur un cigare à peine plus petit qu'un sous-marin. Son crâne reluit au clair de lune, et sous les lourdes paupières, son regard semble endormi. Mais peut-être ne faut-il pas trop se fier à ces yeux qui évoquent ceux d'un reptile ?

D'un ton de basse, l'homme annonce :

— Je suis César Hensor, le directeur de *L'Olympique.*

Fantômette approuve d'un mouvement de tête. Elle a immédiatement reconnu celui qui dirige le grand music-hall de la rive gauche, le

découvreur de talents, l'imprésario de Jimmy Haricot, de Gélatine Gontran, de la chanteuse Inaudibla et du fameux groupe Les Ignobles.

Fantômette demande :

— Quelqu'un vous a indiqué où j'habite ?

César Hensor balaie l'air d'un geste négligent.

— J'ai les adresses de toutes les personnalités à la mode.

Sans attendre l'invitation de Fantômette qui vient d'ouvrir la porte, il entre dans le pavillon et va s'asseoir directement dans un fauteuil, en homme qui ne s'embarrasse pas de politesses. Il pointe son cigare vers la justicière, déclare :

— J'ai besoin de vous. Une mission de confiance. Un travail délicat.

Ce n'est pas la première fois que l'on vient trouver Fantômette pour lui réclamer son aide. Mais notre aventurière se demande pourquoi un homme aussi célèbre, riche et puissant éprouve le besoin de solliciter son intervention. Et pour quel genre de mission ? Elle demeure silencieuse, tandis que César Hensor poursuit :

— Je m'adresse à vous parce que vous êtes jeune, et que l'enquête doit se faire dans un milieu de jeunes.

Fantômette n'aime guère le ton tranchant de l'imprésario. Elle réplique sèchement :

— Je n'ai pas encore dit que j'acceptais.

Son interlocuteur pompe sur son cigare.

— Vous accepterez. Parce que cette enquête sera intéressante, vous allez voir. D'abord, je vais vous faire une confidence et vous apprendre une chose que bien peu de personnes savent. Pouvez-vous me dire comment j'ai réussi à faire fortune, quelles sont les raisons de mon succès ?

Il lance un nuage de fumée bleue et, sans attendre de réponse, explique :

— Bien sûr, si j'ai réussi à devenir le plus grand directeur artistique du monde, c'est grâce à mon flair extraordinaire. J'ai un don pour dénicher les chanteurs qui ont du talent. Et même ceux qui n'en ont pas. Donnez-moi le dernier des asticots, et j'en fais une grande vedette. Mais il y a autre chose.

Nouvelle bouffée de fumée.

— J'ai de la chance, Fantômette. Je réussis tout ce que j'entreprends. Je puis dire que je n'ai jamais connu d'échec depuis que je possède le Dragon d'or.

Fantômette a un léger mouvement qui n'échappe pas à l'imprésario. Il daigne esquisser un sourire.

— Ah ! On dirait que je commence à vous intéresser. Je vous dis que cette petite enquête sera très amusante. Donc, il s'agit du Dragon d'or. C'est un bijou ancien d'origine chinoise. Un petit dragon en or massif, dont les yeux sont des rubis. Il n'est pas très grand, puisqu'il loge dans une boîte d'allumettes. Et ce bijou est un porte-bonheur. Oui, c'est ce que l'on appelle un « talisman ». Il m'a été offert par un Chinois à qui j'avais rendu un grand service.

La jeune aventurière écoute attentivement, tandis que César Hensor continue de remplir la pièce avec la fumée de son cigare.

Il reprend :

— Jusqu'alors, je n'avais pas eu de chance. J'étais tout le temps malade, sans le sou, sans travail. Et du jour au lendemain, tout a changé. J'ai trouvé un emploi dans une maison de disques dont je suis rapidement devenu le directeur, j'ai fait fortune, et ma santé s'est améliorée.

Fantômette hoche la tête.

— Eh bien, puisque tout tourne rond, je ne vois pas pourquoi vous venez me chercher…

— Attendez, attendez ! Vous ne savez pas le principal, ma chère. *On m'a volé le Dragon d'or !*

— Ah ! Je commence à comprendre pourquoi vous êtes ici...

— Parbleu ! Il faut absolument que vous me le retrouviez. Depuis une semaine que ce talisman a disparu, tout va mal ! Jimmy Haricot s'est cassé un bras en faisant du cheval, Les Ignobles sont bloqués par une tempête de neige au Sahara, le percepteur m'a envoyé ma feuille d'impôts, et j'ai une crise de foie. Quant à *L'Olympique*, vous devez savoir qu'il vient d'être à moitié détruit par un incendie ?

— Oui, je suis au courant.

— Eh bien, je suis certain que toutes ces tuiles me tombent dessus parce que je n'ai plus le Dragon d'or !

Fantômette réfléchit une seconde et demande :

— Savez-vous qui vous l'a volé ?

— Oh ! Oui, je le sais parfaitement ! C'est mon neveu, Dynamite Bill.

— Le chanteur nouveau-rétro ? Celui qui chante *J'suis l'affreux beau* ?

— Lui-même. Mais son vrai nom est Isidore Lapilule. D'ailleurs...

Il jette un coup d'œil à sa montre.

— Il est 21 heures. Nous allons le voir dans l'émission *Discotoc*.

Fantômette allume la télévision, ce qui permet d'admirer une dame en train de frotter l'intérieur de sa poubelle avec la pâte *Récurage-Dedans.* Puis un gros monsieur remplit sa bouche avec le bon fromage *Asticot.* Et une autre dame se met à laver ses chemises avec *Vitriole,* la lessive qui fait des trous dans le linge. Puis l'émission musicale commence, devant le public de *La Gaîté-Montmartre.* Elle débute avec la chanteuse Armonika, qui est à peu près aussi épaisse qu'un crayon à bille. César Hensor la désigne du menton en précisant :

— Elle avait un rhume épouvantable au moment où cette émission a été tournée. Heureusement que c'est du play-back !

Après avoir répété cinquante fois « *Je suis triste, quel bonheur !* », Armonika cède le micro au grand, au fameux, à l'incomparable Dynamite Bill. À cette apparition, une vague d'enthousiasme soulève la salle. Les garçons se mettent à siffler pour avoir le genre américain, et les filles remplissent l'air de cris suraigus.

Dynamite Bill – dont nous savons qu'il se nomme en réalité Isidore Lapilule – est un grand garçon brun, vêtu d'un élégant costume jaune citron. Il arrive sur scène sans saluer, le torse bombé, le visage dédaigneux, ses lèvres faisant la moue. Fantômette observe :

— Il a l'air bien fier, votre neveu !

César Hensor approuve :

— C'est un orgueilleux. Un « bêcheur », comme on dit. Il se prend pour un être supérieur, un génie devant qui tout le monde doit se mettre à genoux. Oui, c'est un vaniteux. Et, en plus, un sale gosse, un voleur, un voyou. C'est lui qui m'a pris le Dragon d'or ! Quand je pense au succès qu'il a !... C'est écœurant !

Dynamite Bill parcourt la salle d'un regard plein de mépris, comme s'il était agacé de voir tant de monde réuni pour l'admirer. Puis il consent à gratter vaguement sa guitare, en faisant semblant de chanter pendant que passe son morceau : *Par-ci, par-là, houlà, houlà !* De temps en temps, il relève le menton d'un coup sec, comme pour lancer un défi au public, ce qui provoque une tempête d'applaudissements.

César Hensor hausse les épaules et grogne :

— Quel cabot, hein ? Pour qui se prend-il ? Ah ! là ! là ! Quelle époque nous vivons ! Plus ils sont bêtes, et plus ils ont de succès !

On entend ensuite une chanson classée première au hit-parade, l'année précédente : *Tu es partie, hiii ! Tu m'as laissé, hééé !* Et l'émission s'achève sur le grand tube de l'année : *J'suis l'affreux beau !* Les filles hurlent, piétinent, s'arrachent les cheveux ou s'évanouissent.

Comme la dame-à-la-lessive revient sur l'écran, Fantômette éteint le téléviseur. César Hensor extrait d'un tube d'aluminium un nouveau cigare et demande :

— Alors, qu'en pensez-vous ? Ce bon à rien m'a volé le porte-bonheur. Depuis, il a décroché un fabuleux contrat. Une entreprise d'Hollywood va lui faire tourner une comédie musicale japonaise qui dure douze heures.

— Mais qui vous prouve que votre neveu est le voleur ?

— Un soir, il est venu me rendre visite à mon bureau, en compagnie de ses musiciens. À ce moment-là, le Dragon d'or se trouvait dans une bonbonnière, à côté du téléphone. J'ai dû m'absenter un instant. C'est évidemment pendant ces quelques secondes que Bill a pu s'emparer du talisman. Parce qu'après leur départ, j'ai machinalement soulevé le couvercle de la bonbonnière, et le Dragon avait disparu. Fantômette, il faut que vous récupériez mon porte-bonheur. Je vous verserai une très forte somme.

— Pourquoi ne pas vous adresser à la police ?

— Je ne veux pas la mêler à mes affaires. Et puis, vous, vous pourrez facilement approcher Dynamite Bill en vous mêlant à ses admiratrices. Enquêter, fouiner sans qu'il vous soupçonne. Alors, c'est d'accord ?

La justicière médite un moment.

L'imprésario ne lui est guère sympathique. C'est ce que l'on appelle un « parvenu », un homme qui ne s'intéresse qu'à l'argent. Il est grossier, certainement égoïste. Mais son neveu semble avoir les mêmes défauts. Après tout, un vol est un vol, et Fantômette n'aime pas les voleurs. Elle se décide.

— Bon, c'est d'accord. Je vais me mettre à la recherche du Dragon d'or.

— Ah ! Bravo. Je vais vous fournir toutes les indications pour prendre contact avec mon neveu. Demain matin, il a une séance d'enregistrement aux studios *Luxeurope.* Vous savez où c'est ?

— Oui, avenue de Grawam.

— Bien. Je vais vous donner une carte d'entrée. Présentez-vous comme étant une journaliste de *Bonjour, les fans.* Dynamite Bill sera ravi de répondre à vos questions. Il vous fera sûrement de grands sourires hypocrites. Soyez sur vos gardes.

— Bon. Mais une fois que j'aurai fait sa connaissance ?

— Alors, ce sera à vous de jouer. Débrouillez-vous pour récupérer le talisman. Je n'ai pas à vous apprendre votre métier de détective, hein ?

Il laisse tomber son mégot de cigare dans un vase, se lève et sort sans se retourner. Fantômette le regarde s'éloigner en se demandant si elle a bien fait d'accepter la mission de ce butor.

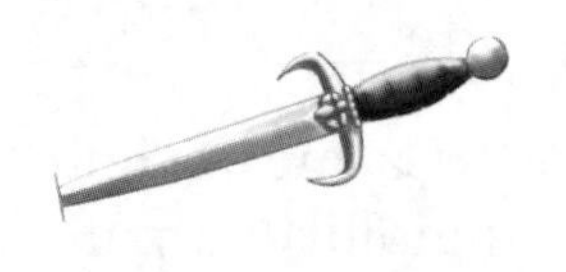

chapitre 3

Une intéressante interview

— Ah ! Boulotte, c'était fatal ! J'en ai rêvé toute la nuit ! J'en suis encore toute tourne-bouleversée ! Quel dommage que Dynamite Bill ne passe pas tous les jours à la télé ! Ah ! Les programmes sont mal faits. Si j'étais le directeur, il y aurait une émission sur Dybill le matin, l'après-midi et le soir !

Ficelle gesticule pour exprimer son enthousiasme, au risque de renverser les bols de chocolat du petit déjeuner que Boulotte est en train de préparer. Ficelle (signe particulier : ressemble à un stylo-feutre, en plus mince) arrête un instant ses moulinets et demande :

— Tu ne fais pas du pain grillé ?

La gourmande hoche tristement la tête.

— Le grille-pain ne marche plus. Je ne sais pas pourquoi…

Ficelle s'écrie :

— Ah ! Je le sais, moi ! Ça me revient ! Je m'en suis servie pour ramollir ma pâte à modeler qui était trop dure. Et tout a rôti…

— Ah ! C'est pour ça qu'il y a des grandes taches jaunes dessus ! Eh bien, tu l'as drôlement arrangé, le grille-pain !

Ficelle esquisse un geste rassurant.

— Je vais en gagner un au grand concours des biscottes *Krokett.* Tu sais, le concours des fables de La Fontaine. Il faut deviner le titre d'une fable où il est question d'un loup qui rouspète après un agneau buvant dans sa rivière. J'ai deviné tout de suite le titre : c'est *Le Corbeau et le Renard.* Ah ! Voilà le facteur. Je reconnais son coup de sonnette. Il vient m'annoncer que j'ai gagné le premier prix du concours, un taille-crayon à deux trous. L'un pour les crayons ordinaires, l'autre pour les gros crayons.

Ficelle se précipite pour ouvrir et se trouve en présence d'une jeune brunette aux yeux pétillants.

— Bonjour, Ficelle !

— Oh ! C'est toi, Françoise ? Je croyais que le facteur m'apportait un grille-pain gratuit et un taille-crayon… Dis donc, tu as vu *Discotoc*, hier soir ? C'était fatal, non ? Ah ! Ce qu'il était bien, Dybill ! Tu as vu, quand il a donné un coup de pied au micro ? Ah ! Ce que ça m'a plu ! J'en ai été toute tirebouchonnée !

Françoise sourit et demande à la grande étourdie :

— Dis-moi, Ficelle, ça te plairait de rencontrer Dynamite Bill ?

Ficelle reste un instant immobile, stupéfiée par la fantastique proposition. Puis elle se reprend et demande :

— Dis donc, tu ne parles pas sérieusement ? C'est de la blague, hein ? Tu sais que je donnerais une de mes chaussettes pour le voir de près, et même peut-être deux chaussettes un peu usées pour pouvoir le toucher en chair et en os ! Même en peinture et en viande !

— Eh bien, ma chère Ficelle, dépêche-toi de t'habiller. Je t'emmène voir ton idole.

— Pas vrai ?

— Mais si, je t'assure !

— Oh ! Alors, si j'arrive à toucher du bout du doigt les semelles de Dynamite Bill, je t'offrirai des fleurs le premier de l'an et toute l'année ! Mais à mon avis, c'est de la blague. Tu te paies mon nez !

Françoise secoue la tête.

— Mais non. J'ai une invitation pour aller dans un studio où il enregistre.

— Pas possible ! Ah ! Je meurs ! C'est fulminant ! Ciel vert ! Comment m'habiller ? Je vais mettre mon tee-shirt avec la marque de la pommade *Onyon,* qui efface les cors aux pieds ! Ça impressionnera Dybill !

— Et moi, déclare Boulotte, je vais lui apporter un pot de ma nouvelle confiture aux cornichons !

C'est l'affolement. Ficelle court de tous côtés, à la recherche de son précieux maillot ; Boulotte se met à quatre pattes pour extraire un pot de sous le buffet, et Françoise frappe dans ses mains en disant à ses amies de se dépêcher, ce qui aggrave la confusion.

Après dix minutes de recherches aussi fébriles que vaines, Ficelle renonce à trouver le tee-shirt *Onyon* pour enfiler celui qui arbore en lettres rouges cette merveilleuse annonce : *Je suis plouf !*

Enfin, un bus emmène les trois privilégiées vers la capitale. Pendant le trajet, Ficelle demande à Françoise, et à haute voix, pour que les autres voyageurs bénéficient de ses propos :

— Tu penses que Dynamite Bill nous recevra tout de suite ? En tout cas, si nous sommes en retard, il n'aura qu'à nous attendre !

Les voyageurs ont le nez plongé dans le journal du matin, ou bien ils contemplent d'un œil morne le flot des voitures qui entourent le bus. Devant cette indifférence vexante, Ficelle redouble d'efforts. D'une voix perchée, elle clame :

— J'espère quand même que Dynamite Bill sera à l'heure !

Françoise lui fait signe de baisser le ton. Ficelle s'écrie :

— Quoi ? J'ai bien le droit de parler, tout de même ! Et de dire que Dynamite Bill pourra faire l'effort d'être à l'heure, pour une fois ! D'ailleurs, s'il met trop longtemps à venir, je m'en irai ! J'ai des choses plus utiles à faire que de poireauter pour ce gratouilleur de guitare !

Quand les trois amies descendent avenue de Grawam, Ficelle commence à se calmer un peu, bien que son cœur batte à grands coups. Lorsqu'elle découvre, à l'entrée d'un immeuble, une plaque d'acier, où est inscrit *Studios Luxeurope*, Ficelle bredouille :

— Ah ! Je sens que je meurs à grands pas !... Est-ce que... est-ce qu'il va nous recevoir, Françoise ?

— Bien sûr.

— C'est un honneur épouvantablement fatal qu'il va nous faire… Ah ! J'ai peur ! J'ai bien envie de me sauver, comme le lait sur une casserole de Boulotte…

— Grande nouille ! Tu viens ou tu ne viens pas ?

— Oui, oui ! Je viens. Je donnerais toutes les chaussettes du monde pour être à ma place !

Elles grimpent au premier étage, poussent une porte, entrent dans un hall où une hôtesse examine le carton que lui présente Françoise, puis désigne un couloir.

— C'est par là, tout au fond.

Ficelle demande anxieusement :

— Vous êtes sûre que Dynamite Bill est là ?

— Oui. En ce moment, il enregistre.

— Ah ! C'est fatal !

Elles longent un couloir recouvert d'une épaisse moquette grise, entrent dans un studio où trois ou quatre techniciens en chemise fument et bavardent devant des pupitres d'enregistrement où tournent les larges galettes brunes des bandes magnétiques. Des haut-parleurs diffusent un solo de batterie.

Le fond de la pièce est occupé par une grande vitre à travers laquelle on aperçoit

Dynamite Bill, casque d'écoute en tête, devant un micro qui pend du plafond. Les techniciens continuent de bavarder, sans porter attention aux filles qui ouvrent de grands yeux pour contempler la vedette. Un manipulateur de boutons se penche vers un micro :

— C'était un peu mou, Bill. Tu peux reprendre les six dernières mesures ?

— O.K. !

La musique s'élève, en même temps que se fait entendre une voix de fille. C'est de cette manière que Bill chante. On l'entend répéter :

— *Je l'ai perdue, hu, huuuu !... Je l'ai perdue, hu, huuu !... Je l'ai perdue, hu, huuuu !*

Le technicien appuie sur une touche pour arrêter l'enregistrement et lève un pouce en signe d'approbation. Il annonce :

— Ça colle !

Derrière la vitre, Dynamite Bill retire le casque, tire un mouchoir de papier et s'éponge le front. Puis il sort de l'« aquarium », souriant, et fait :

— Ouf ! Il m'en aura donné du mal, celui-là !

Ficelle constate avec surprise qu'il a une voix beaucoup plus grave que quand il chante. Il boit un verre d'eau, puis découvre les trois filles et les interpelle joyeusement :

— Alors, les copines, c'est pour des autographes ou des photos dédicacées ?

Boulotte, qui est en train de mâcher un bâton de caramel fourré de maïs, n'est pas en mesure de répondre. Ficelle est rendue muette par l'admiration. C'est Françoise qui se charge d'expliquer :

— Nous sommes trois reportrices de *Cartable-Hebdo*, le journal de notre école. Nous voudrions vous poser quelques questions...

— D'accord. J'ai cinq minutes de libres. Tenez, venez par ici, il y a un bureau vide.

Les pseudo-journalistes prennent place dans des fauteuils gonflables qui ressemblent vaguement à des citrouilles, tandis que Dynamite Bill s'assoit à califourchon sur une chaise en disant :

— Allez-y, je vous écoute, mes mignonnes...

Ficelle, qui n'est séparée de son idole que par un mètre cinquante, ouvre une bouche qui traduit son extase. Mais pour une fois elle est incapable de parler. Phénomène rare. Françoise demande alors :

— Quand on te voit sur scène, tu as toujours l'air furieux. Pourquoi ?

Dynamite Bill éclate de rire :

— Ha ! ha ! Je ne suis pas furieux du tout ! Au contraire, je suis très content d'être devant le public.

— Mais pourquoi prends-tu cet air orgueilleux... méprisant ?

— Ah ! Mais parce que ça fait partie de mon personnage. C'est un genre que je suis obligé de prendre. Quand j'ai débuté il y a trois ans, mon oncle qui est aussi mon imprésario...

— César Hensor ?

— Voilà. Il m'a dit : « En ce moment, c'est la mode des chanteurs qui se prennent au sérieux. Si tu veux avoir du succès, il ne faut pas rigoler. » Et il avait raison, puisque ça a marché. Alors, je continue à prendre de grands airs de vilain méchant... Seulement attention ! Je vous dis ça entre nous parce que vous êtes sympas, mais n'allez pas le répéter dans votre canard, hein ? Je tiens à ma réputation de sale bonhomme, ha ! ha !

Et le jeune chanteur se remet à rire. Ficelle est ravie de recueillir des confidences aussi extraordinaires. Françoise est agréablement surprise de découvrir Dynamite Bill sous un aspect qu'elle ne soupçonnait pas. Bien loin de se montrer hautain, il est au contraire tout à fait cordial. Elle pose une deuxième question :

— Estimes-tu que tu as de la chance ?

— Je pense bien ! Je fais un métier qui me plaît, mes disques se vendent à la pelle, et j'ai des tas de copains.

— Mais tu n'as pas plus de chance en ce moment, par exemple ?

Bill hoche la tête, réfléchit.

— Oh ! Il me semble que j'ai tout le temps de la veine. En ce moment aussi, puisque je viens de signer un contrat pour une comédie musicale.

— Bon. Tu pourrais nous parler un peu de ton oncle ?

Le chanteur esquisse une grimace.

— Je n'aime pas tellement en parler. Bien sûr, c'est lui qui m'a lancé dans le métier, et je lui en suis reconnaissant. Mais je ne crois pas qu'il soit tellement bon ou généreux. Il pense d'abord à lui. Et quand il pense aux autres, c'est pour en tirer de l'argent. Mais ce n'est pas à moi d'en dire du mal. Parlons plutôt d'autre chose…

Ficelle lève alors timidement le doigt, comme lorsqu'elle demande la permission de sortir de classe pour un petit besoin.

— M'sieur Dybi, je voudrais te demander quelque chose… Mais je n'ose pas, parce que je suis formidablement timide !

— Oui, tu peux parler. Je ne vais pas t'avaler.

— Eh bien, je voudrais que tu me dises quelle est ta couleur préférée de chaussettes...

Dynamite sourit.

— Eh bien ! Voilà la plus embarrassante question qu'on m'ait jamais posée... Voyons que je réfléchisse... D'accord, je vais te répondre, mais c'est un secret, et il ne faudrait pas le répéter autour de toi...

Ficelle étend le bras et s'apprête à cracher sur la moquette. Bill l'interrompt :

— Pas la peine de jurer ! Je suis sûr que tu seras discrète. Voilà. Mes chaussettes sont assorties à ma chemise.

— Ah ! Tu mets des chaussettes violettes avec une chemise violette ?

— C'est ça. Sauf que mes chemises sont en général blanches. Pas d'autres questions ?

— Encore une, dit Françoise. Pourrai-je te voir de nouveau ?

— Bien sûr. Quand tu voudras. Au fait... Pourquoi pas ce soir ?

Il tire d'une poche trois cartons verts et les distribue.

— Tenez, ce sont des billets pour mon récital de la soirée. Comme ça, vous pourrez me voir sur les planches, avec ma tête d'empereur romain. Allez, salut, les copines ! J'ai été heureux de faire votre connaissance…

Ravies de cette entrevue, les trois jeunes journalistes quittent les studios et reviennent à leur arrêt de bus. Ficelle se tortille comme un tuyau d'arrosage en annonçant à voix très haute, pour que les passants puissent l'entendre :

— Il est adorable, ce Dynamite Bill. Quel garçon charmant… Et si simple, pas vrai ? Il ne fait de chichis que sur scène. Mais avec nous, il a été très naturel, non ? J'ai bien envie d'aller à son show, puisqu'il nous a invitées. Qu'en pensez-vous ? Je vais essayer de me libérer, parce que j'avais divers rendez-vous. Je devais aller à la piscine avec mon cousin Gaétan Valacruchalo, mais je crois que je vais le laisser tomber…

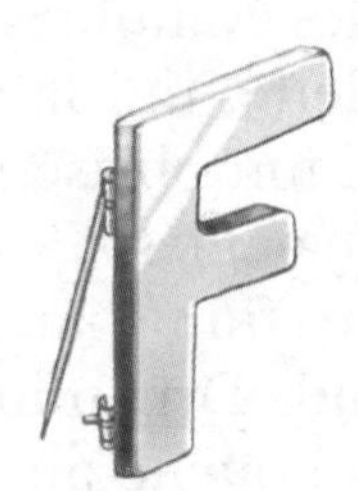

chapitre 4

Un super spectacle

— Aaaaah ! ! ! Je meurs ! Françoise, je suis meurante ! Il est fatal, non ? Houuaaah ! ! !

Ficelle mêle ses hurlements exubérants à ceux du public. La salle est bourrée comme une valise un jour de départ en vacances. Filles et garçons lancent des cris qui parviennent à couvrir une sono pourtant assourdissante.

Cependant, même si Dynamite Bill était muet, il déchaînerait des ovations. Il lui suffit de hocher la tête d'un air agacé pour enflammer son public. En tapant du pied, il provoque un tonnerre d'applaudissements, et le simple geste de jeter son mouchoir dans l'assistance provoque une bagarre monstre, les fans se lançant dans une mêlée épouvantable pour s'emparer de la précieuse relique. Des infirmiers se ruent avec des brancards pour enlever les blessés et les évanouies, sous l'œil indifférent de la vedette, qui fait songer à quelque général d'Empire blasé par le spectacle d'innombrables batailles.

Un semblant de calme finit par revenir, et le spectacle reprend. Dynamite Bill approche son micro de sa bouche au point qu'on se demande – avec angoisse – s'il ne va pas l'avaler. Il murmure les suaves paroles de son nouveau succès qui est déjà dans toutes les oreilles :

Je suis tout seuuul…

Dans mon linceuuul…

Les filles vocifèrent :

— Non ! Nonnnn !

Dynamite Bill poursuit :

Dites-moi la véritééé…

Est-ce que vous m'aimeeez ?

— Ouiiii ! Ouiiii !!! glapissent les fanettes.

Mais Dynamite a des doutes :

Non, non, c'est pas vraiii !

— Siiiii !!! lui confirment ses admiratrices en délire.

Alors, le chanteur leur tourne le dos et sort de scène, salué par une tempête d'applaudissements. Ficelle pince Françoise pour mieux lui faire comprendre son enthousiasme.

— Ah ! Je suis évanouillée ! C'est super-sublime ! Je suis mieux ici qu'à l'école, en train de faire des divisions avec une virgule !

Le retour de Dynabill provoque une nouvelle marée d'ovations. Il entame son merveilleux *Tu m'as quitté, ouais !* accompagné par son orchestre personnel. Il y a là un guitariste, un joueur d'orgue électronique et un batteur. Tous sont vêtus de blanc et ont les yeux cachés derrière de grosses lunettes noires, carrées. Françoise porte son regard sur le préposé à la guitare électrique. C'est un garçon mince, blond, au visage impassible.

« Cette silhouette me dit quelque chose… Il me semble que je l'ai déjà vue… »

Elle se penche vers l'oreille de Ficelle et crie pour couvrir le tapage :

— Dis, tu le connais, le guitariste ?

— Qui ça ?

— Celui qui est en train de gratter les cordes.

Ficelle quitte Bill des yeux avec regret, pour porter son regard sur le guitariste, puis répond brièvement :

— Ah ! oui, c'est Arthur Binagaz.

— Tu l'as déjà vu ailleurs qu'ici ?

— Ben… à la télé, oui.

Et la vision de la grande fille revient vers le seul, le vrai, l'unique Dynamite Bill. Françoise continue de scruter le visage du musicien, mais sans résultat. Elle doit effectivement l'avoir aperçu au cours d'une émission télévisée. Dynamite poursuit son récital avec son fameux tube *C'est moi le coq de Bangkok*, puis on déguste l'inoubliable *Moi, j'suis extra !*, et c'est enfin le sublime *Mon Imper, il est super* repris en chœur par toute la salle.

Le spectacle se termine triomphalement. Vingt fois le rideau est baissé, vingt fois il est relevé pour permettre au public d'admirer son idole qui ne salue même pas. Dynamite Bill se contente de rester debout, immobile.

Paraissant en tout point un nouveau Jupiter
Laissant tomber de haut son regard sur la Terre
Contemplant sans quitter son calme olympien
La vaine agitation de ces pauvres humains.

Le rideau tombe définitivement, et le public commence à quitter la salle. Ficelle pince de nouveau Françoise.

— Vite, vite ! Il faut aller le voir en coulisses ! Peut-être qu'il me donnera une de ses chaussettes !

Les trois amies se glissent à travers la cohue, grimpent sur la scène. Ficelle appuie la main contre son estomac, à l'endroit où elle suppose qu'est son cœur, et s'écrie :

— Ah ! Dire que je suis sur la scène où Dybill a posé ses semelles ! C'est une chance grande comme un verbe à copier six fois !

— Viens par ici ! ordonne Françoise en entraînant la bavarde vers les coulisses.

Mais plus loin, un homme de carrure athlétique leur barre le couloir en étendant les bras.

— Halte ! On ne passe pas !

Ficelle est sur le point d'expliquer qu'elle va rendre visite à son grand copain Dynamite, quand Françoise la devance :

— Nous avons rendez-vous avec le guitariste Arthur Binagaz.

— Bon, ça va. Allez-y !

Et il laisse circuler les trois filles. Ficelle demande :

— Mais pourquoi as-tu dit ça ? Je n'ai pas envie de le voir, moi, ce gratouilleur !

— Si nous avions dit que nous voulions voir Bill, il ne nous aurait pas laissées entrer.

— Ah ! oui, bien sûr. C'est un des gardes du corps. Je l'avais deviné tout de suite, et grâce à mon astuce, nous sommes passées.

Elles font quelques pas, arrivent devant une loge dont la porte est décorée d'un poster de Dynamite Bill. Ficelle s'exclame :

— Ah ! Je re-meurs ! Je vais encore voir le chanteur de ma vie ! Ça va être la troisième fois dans la journée ! D'abord ce matin aux studios, puis tout à l'heure sur la scène, et maintenant dans sa loge ! Quelle journée fatale ! Sous le coup de l'émotion, je sens mes pieds qui se ramollissent !

Mais, à la grande surprise de Ficelle, Françoise la tire plus loin.

— Viens, ma grande. Allons dans la loge d'Arthur Binagaz.

— Qu'est-ce qui te prend ? C'est Bill que je veux voir, moi !

— Bon, si tu veux. Moi, je vais voir Arthur.

— Mais pourquoi ? Pourquoi ?

La brunette ne répond pas. Elle frappe trois coups contre une porte où une simple carte de visite est punaisée, portant un nom : ARTHUR BINAGAZ. Une voix s'élève :

— Entrez !

Françoise pose la main sur la poignée, tourne, ouvre.

Arthur est assis devant une table à maquillage, tournant le dos à la porte. À la seconde où Françoise entre, il met vivement devant ses yeux les grosses lunettes noires. Mais elle a eu le temps d'apercevoir dans la glace le reflet de son visage.

Elle l'a reconnu.

Il se lève, déclare :

— Qu'est-ce que vous voulez ? Je vous préviens que je suis pressé.

Françoise répond en souriant :

— Nous appartenons au journal *Cartable-Hebdo*, et nous aimerions vous interviewer.

Arthur Binagaz secoue la tête.

— *Cartable-Hebdo* ? Connais pas. Qu'est-ce que c'est, ce canard ?

— Le journal de notre classe.

— Hein ? Un journal d'école ? Ça ne m'intéresse pas. Je n'ai pas de temps à perdre avec des écolières. Allez, du balai !

Ficelle se tourne alors vers Françoise.

— Ah ! Tu vois, il ne veut pas qu'on l'intervouille ! Je te l'avais dit, qu'il ne fallait pas venir ici. Retournons chez Dybill. Il est bien plus aimable, lui !

La brunette tente d'insister :

— Nous n'en avons que pour quelques instants, cher Arthur.

Le guitariste élève la voix :

— Le cher Arthur vous dit d'aller vous faire cuire une omelette !

Cette fois-ci, Françoise abandonne. Elle jette un coup d'œil rapide sur l'ensemble de la loge et sort, suivie par Boulotte, qui mastique un chewing-gum sans sucre, et par Ficelle, qui répète :

— Je t'avais prévenue, hein ? Ça, je m'en doutais, qu'il ne voudrait pas de toi ! Mais tu ne veux jamais m'écouter. Quand je parle, c'est comme si je soufflais sur une girouette ! Ça t'apprendra, à te croire plus idiote que les autres !

Les trois filles sortent de *La Gaîté-Montmartre*. Il fait nuit. Près de l'arrêt de bus, une épicerie est encore ouverte. Elle attire aussitôt Boulotte.

Ficelle lui demande :

— Hé ! Goinfrette, qu'est-ce que tu vas acheter à cette heure-ci ?

— Des œufs.

— Pourquoi ?

— Parce qu'Arthur Binagaz nous a dit d'aller nous faire cuire une omelette.

chapitre 5

Fantômette appelle Œil de Lynx

Onze heures du soir, Fantômette, les mains dans le dos, tourne en rond dans la salle de séjour. Sans doute ferait-elle mieux d'aller se coucher, mais son métier de justicière lui impose parfois de veiller sans s'occuper de l'heure. Allongé sur son fauteuil favori, Méphisto garde un œil ouvert sur sa maîtresse. De temps en temps, il donne un coup de langue sur sa patte et se frotte l'oreille. La jeune aventurière s'arrête, s'assied sur l'accoudoir à côté du chat, et murmure :

— Résumons-nous, Méphisto. Premièrement, César Hensor me demande de retrouver son talisman qui lui aurait été volé par son neveu, Isidore Lapilule, dont le nom de scène est Dynamite Bill. Deuxièmement, il m'apparaît clairement que Dybi est un garçon veinard qui n'a nul besoin d'un porte-bonheur. Troisièmement... Tu me suis, Méphisto ?

Le chat bâille, apparemment peu intéressé par les propos de la jeune personne. Elle soupire :

— Bon, ce que je dis a l'air de te passionner autant que ta première tasse de lait. Alors, je continue... Troisièmement, il y a dans l'orchestre un guitariste que je connais. Ah ! Oui, j'ai déjà eu affaire à ce coco-là ! Et ça pourrait bien être lui qui a piqué le Dragon d'or. Tu m'entends, Méphisto ? Le guitariste Arthur Binagaz, c'est Éric. Le fils du Masque d'Argent[1].

Le chat ne semble guère surpris par cette révélation, puisqu'il se roule en boule et s'endort. Fantômette triture le pompon qui termine la pointe de sa cagoule, se lève, et reprend son va-et-vient en réfléchissant.

— Donc, je suppose que c'est Éric qui a le porte-bonheur. Pour le reprendre, il faut entrer dans sa loge et fouiller partout. Difficile.

1. Voir *Fantômette dans l'espace*, dans la même collection.

Et long… C'est d'autant plus compliqué qu'il n'aime pas les visites, ce petit monsieur. Donc, je dois profiter du moment où il se trouve en scène. Je vais retourner à *La Gaîté-Montmartre* demain soir, me faufiler dans sa loge et inspecter dans les recoins… Ah ! Mille pompons verts !

Elle se précipite vers une table basse où est posé un numéro de *Paris-Spectacle* et le feuillette.

— Mille pompons bleus ! C'est bien ce que je craignais… La représentation de ce soir était la dernière… Dynamite Bill et son orchestre partent en tournée… Et pour où ?

Elle tourne les pages du magazine, trouve ce qu'elle cherche :

« *La tournée triomphale de Dynamite Bill le conduira à Pavupapry, Cheramy-Antrédon et Givay-sur-l'Eure. Il est prudent de retenir ses places à l'avance.* »

Fantômette prend aussitôt une décision. Il lui faut retrouver Arthur Binagaz – alias Éric. Mais puisqu'il n'accepte de recevoir que les représentants des grands journaux, elle va faire appel à Œil de Lynx, reporter à *France-Flash.* Bien qu'on soit encore en pleine nuit, on peut espérer que le journaliste est dans la salle de rédaction, en train de préparer l'édition du matin. Fantômette décroche le téléphone, appuie sur les touches numérotées.

— Allô ? Pouvez-vous me passer Œil de Lynx ? De la part de Fantômette.

Deux secondes d'attente, puis une voix indistincte se fait difficilement entendre, le journaliste ayant gardé en bouche le tuyau de sa pipe. Fantômette recueille à peu près ces sons :

— Aôôô ! ici œillelyns. J'écou... S'qui v'arrive ?

— Dites, cher ami, vous serait-il possible de poser un instant votre pipe et de répéter ?

— Heu... Voui. Voilà, je pose. Ici Œil de Lynx. J'écoute. Qu'est-ce qui vous arrive ?

— Il m'arrive que je suis encore une fois sur une enquête. Avez-vous entendu parler du Dragon d'or ?

— Non. Qu'est-ce que c'est ?

— Un porte-bonheur qui appartient à César Hensor. On le lui a volé, et je suis chargée de le retrouver.

— Ah ! très bien ! Intéressant, ça. Je peux faire un reportage là-dessus ?

— Bien sûr. Mais il faut que vous me donniez un coup de main. Je pense que le voleur est Éric. Vous savez, le fils de l'affreux Masque d'Argent ?

— Oh ! Vous n'allez pas encore vous bagarrer avec ce bandit ?

— Si, c'est bien possible.

— Alors je vais venir vous donner un coup de main.

— Merci, Œil. Mais il n'y a rien de pressé. Vous pouvez passer demain matin ? Neuf heures, ça va ?

— Oui, parfait. Dormez bien, aventurière !

— Veillez bien, journaliste !

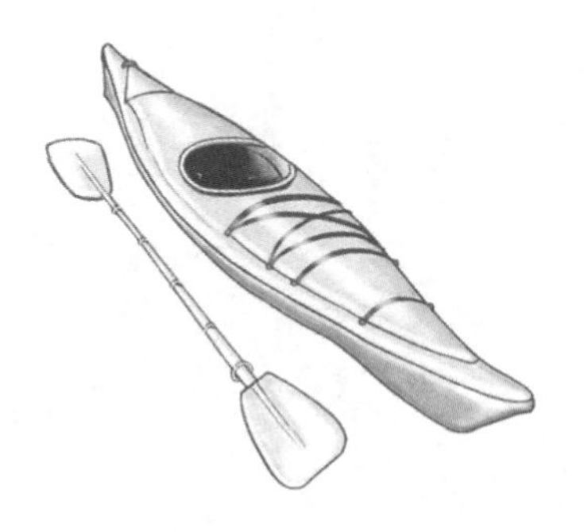

chapitre 6

Perquisition

— Patron, vous aviez dit qu'on pourrait vider tranquillement le magasin, et qu'il n'y aurait aucun risque de se faire piquer…

— Hé, gros malin ! On ne pouvait pas prévoir que Fantômette allait nous surveiller et prévenir la police. Mais si elle me tombe entre les mains, cette jeune ahurie, je te garantis qu'elle s'en souviendra ! Tu peux me faire confiance, Bull !

Le Furet tourne en rond dans la cellule d'une prison. (Il est d'ailleurs difficile de tourner autrement qu'en rond.) Assis sur un banc, le gros Bulldozer croque un croûton de pain. Alpaga admire son nez dans une glace scellée au mur.

Bulldozer interrompt sa mastication pour plisser le front et réfléchir un long moment – exercice auquel il n'est pas très habitué. Cette méditation laborieuse lui permet d'aboutir à une conclusion logique :

— Patron, pour retrouver Fantômette, il faut d'abord sortir d'ici.

Le Furet hausse les épaules.

— Évidemment !

Nouvelle période pensante du gros bandit. Nouvelle question :

— Et comment on va faire ?

Le Furet lève une main rassurante.

— Ne t'inquiète pas, je trouverai quelque chose. J'ai toujours des idées, moi.

Bulldozer grommelle :

— D'accord, patron, vous avez des idées. Mais pour ce que ça nous sert… On se retrouve toujours au trou !

— Tais-toi, Bull. Ne fais pas de mauvais esprit.

Une sonnerie s'élève, bientôt suivie d'un bruit de gamelles et de cuillères. Les gardiens déverrouillent les portes, pour permettre aux prisonniers de se rendre au réfectoire où ils prendront le petit déjeuner. Alors que les détenus se mettent en rang dans les couloirs, une voix sort d'un haut-parleur, annonçant :

— Allô ! Allô ! Avis à tous les gardiens ! Notre grève surprise commence immédiatement, pour une durée d'une heure ! Je répète : notre grève surprise commence immédiatement…

Aussitôt, les gardiens abandonnent la surveillance des prisonniers pour aller flâner dans la cour ou jouer aux cartes. Le Furet se tourne vers ses complices.

— Mes amis, voilà une occasion magnifique ! C'est le moment d'en profiter. Allez, on file…

Bulldozer proteste :

— Quoi ? On s'en va sans prendre notre café ?

— Tu le boiras dehors ! Allez, viens vite !

— Dommage… Pour une fois que j'aurais eu du jus gratuitement…

Les trois bandits, ainsi que les autres détenus, traversent la cour, ouvrent la porte de la prison et sortent, sous l'œil indifférent des gardiens qui se tournent les pouces ou fument la pipe. Une fois dehors, le Furet repère un café-tabac vers lequel il se dirige, à la grande satisfaction de Bulldozer qui espère prendre un crème avec un croissant. Mais au moment où ils vont franchir le seuil de l'établissement, une voiture stoppe et le conducteur descend en laissant le moteur en marche. Le Furet fait claquer ses doigts.

— Messieurs, la technique habituelle…

Malgré les protestations du gros Bull encore privé de son petit déjeuner, ils s'engouffrent dans la voiture et démarrent, l'accélérateur au plancher. Alpaga rectifie les ondulations de sa chevelure en se regardant dans le rétroviseur, et demande :

— Où allons-nous maintenant, chef ?

— À Framboisy.

— Ah ! Pour nous occuper de Fantômette, je présume ?

— Tu présumes bien, Alpaga.

Bull oublie son café pour s'enquérir :

— Patron, je pourrai l'aplatir, cette punaise ?

— Tu pourras, Bull.

— Merci, patron. Je vais la changer en carpette. Après mon petit traitement, elle sera tellement plate qu'on pourra la glisser sous une porte, ha ! ha !

C'est dans cette joyeuse ambiance que les trois gangsters parviennent à Framboisy. Ils s'arrêtent dans la rue des Roses, devant le n° 13. Il y a là un pavillon moderne, en forme de soucoupe volante, au milieu d'un jardin. Les bandits s'assurent que personne ne les surveille, sautent la clôture basse et marchent vers le pavillon sur la pointe des pieds. Le Furet perçoit alors une pétarade accompagnée d'un retentissant bruit de ferraille. Une 2 CV grise, fortement cabossée, surmontée d'un fanion du journal *France-Flash*, est en train de se rapprocher. Le Furet souffle :

— C'est la voiture d'Œil de Lynx ! Je la reconnais... Vite, cachez-vous !

Les malfaiteurs se dissimulent derrière les buissons de troènes qui encerclent la soucoupe et se tiennent cois. Le véhicule cacophonique s'immobilise. Il en descend un jeune homme surmonté d'une casquette à carreaux. Au même moment, Fantômette sort du pavillon et va au-devant du visiteur.

— Bonjour, Œil. Je vois que votre casserole marche toujours aussi bien.

— Elle approche du million de kilomètres, ma chère...

— Vous n'avez toujours pas l'intention de la changer ?

— J'attends qu'elle ait dix millions de kilomètres. En vieillissant, elle prendra de la valeur, comme une antiquité. Mais parlons plutôt de ce Dragon d'or. Vous m'avez dit que c'est un porte-bonheur ?

— C'est du moins ce que croit César Hensor. Il est prêt à donner n'importe quelle somme pour le récupérer.

— Et le voleur serait le fils du Masque d'Argent ?

— C'est ce que je pense. Actuellement, il est guitariste dans l'orchestre de Dynamite Bill. Il fait une tournée et va s'arrêter à Pavupapry.

— Donc, on peut le retrouver là ?

— Je l'espère, Œil.

— Très bien. Nous y allons tout de suite ?

— Oui, je suis prête.

Elle ferme la porte du pavillon, monte dans la 2 CV qui démarre en lançant une pétarade accompagnée d'un nuage de fumée huileuse. Alpaga sort de son buisson, s'étire et demande :

— Alors, chef, on les poursuit ? Si nous voulons aplatir Fantômette, il faut les rattraper…

Le Furet caresse son menton pointu, puis fait un signe négatif.

— Inutile de se presser. Nous savons qu'ils vont à Pavupapry. D'autre part, si nous écrabouillons la Fantômette, elle ne pourra plus faire son petit travail d'enquête…

Le gros Bulldozer fronce les sourcils.

— Je ne comprends pas, patron, pourquoi il faut lui laisser faire un travail !

— Je vais t'expliquer, Bull. Elle va se charger de retrouver ce porte-bonheur. Quand elle l'aura trouvé, nous le lui prendrons, et c'est nous qui le porterons à César Hensor pour qu'il nous donne la prime. Tu comprends ?

— Heu… non.

— Tant pis. Et toi, Alpaga ?

— Moi, oui. Nous allons lui laisser faire l'enquête à notre place, tout simplement.

— Voilà, c'est ça. Eh bien, mes enfants, nous avons maintenant tout le temps d'aller prendre un café au lait. Tu comprends ça au moins, Bulldozer ?

— Ah ! oui, ça, j'ai compris, patron !

Les trois bandits avalent enfin leur petit déjeuner, puis ils s'engagent sur la route qui mène à Pavupapry.

Dès l'entrée de la ville, on peut découvrir une multitude d'affiches offrant la photo géante de Dynamite Bill. Des posters plus petits sont collés sur les troncs des arbres, les poteaux électriques et les panneaux électoraux, faisant disparaître le visage des candidats sous celui du chanteur. Les habitants de Pavupapry se voient alors recommandés de voter pour Dynamite Bill, au lieu du député Gérard Manvussa.

Le Centre communal d'animation artistique – c'est-à-dire la salle des fêtes – est au centre d'une agitation inhabituelle. On remarque une camionnette de sonorisation, des techniciens qui déroulent des câbles sous le regard admiratif d'un groupe de jeunes motards. On est en train de préparer la salle pour le récital qui aura lieu en matinée[1].

Le journaliste et Fantômette – qui s'est vêtue d'une manière courante, mais cache ses yeux sous de grandes lunettes noires – se mêlent aux groupes des badauds qui stationnent aux abords du Centre d'animation. Ils ont vite fait d'apprendre que Dynamite Bill et son orchestre répètent leur récital. Œil de Lynx prend à part Fantômette :

— Qu'en dites-vous, ma chère ? On dirait que c'est le moment d'aller jeter un coup d'œil sur la loge du fils du Masque d'Argent. Comment se fait-il appeler, déjà ? Oscar Burateur ?

— Arthur Binagaz. Mais son vrai nom est Éric.

— Peu importe. Ce qu'il faut, c'est aller fouiller sa loge. Allons-y ! Je sens que je tiens un reportage fulminant : *Le Dragon d'or vient*

1. Je me demande pourquoi on appelle « matinée » un spectacle qu'on peut voir l'après-midi. (Note perplexe de Ficelle.)

d'être retrouvé par la justicière Fantômette et notre envoyé spécial Œil de Lynx !

Le reporter, suivi de notre héroïne, se dirige d'un pas assuré vers l'entrée de la salle. Là, un vigile s'interpose. Mais la vue de la carte de presse exhibée par le journaliste lui fait ouvrir la porte en grand. Nos enquêteurs pénètrent dans le hall, puis jettent un coup d'œil discret sur la salle. Dynamite Bill est en scène, entouré de ses musiciens. Il chante un couplet dans le micro, interroge les techniciens qui tripotent des haut-parleurs :

— Ça va comme ça ? Mettez le son à fond ! Plus il y aura de bruit, et plus mon public sera content !

Le reporter et l'aventurière se retirent silencieusement. Ils viennent d'entrevoir le guitariste Arthur Binagaz sur la scène. Donc, le moment est favorable pour perquisitionner dans sa loge. Une rapide course dans les couloirs leur permet de repérer une loge avec l'habituelle carte de visite indiquant le nom du guitariste. La porte n'est pas fermée à clef. Ils entrent donc sans la moindre difficulté, regardent autour d'eux. C'est une pièce minuscule, meublée d'un tabouret posé devant une table de maquillage et d'une penderie. Fantômette examine les accessoires posés sur la table, pendant qu'Œil de Lynx passe en revue les vêtements contenus dans la penderie. Il annonce :

— Rien. Rien du tout. Il porte peut-être le Dragon sur lui ?

— Je ne le pense pas. Son vêtement de scène n'a aucune poche.

— Et s'il était cousu dans une doublure ?

— Il faudrait l'enlever chaque fois que le vêtement irait à la blanchisserie.

Œil de Lynx continue de réfléchir. Il demande :

— Et s'il était accroché à une chaînette, par exemple ?

— Non, je ne crois pas. Arthur ne porte rien autour du cou. Il n'a pas non plus de bracelet auquel le bijou pourrait être attaché. De toute manière, nous devons nous attendre à ce que le talisman soit bien caché. On ne s'amuse pas à montrer partout un objet volé.

— Oui, bien sûr… Alors, j'avoue que je ne vois pas… À moins que le porte-bonheur ne se trouve dans un des véhicules de la troupe ?

Fantômette secoue la tête.

— Un porte-bonheur, on veut toujours l'avoir à portée de main. On ne l'abandonne pas dans une voiture où quelqu'un pourrait le prendre.

— En effet. Alors, vous pensez qu'Arthur l'a sur lui ?

— Ou près de lui, oui, c'est mon impression.

Ils inspectent encore le tiroir de la table, jettent un coup d'œil sur et sous l'armoire par acquit de conscience, mais sans grande conviction. Œil de Lynx fait la moue.

— Je crois que nous perdons notre temps ici. Ce qu'il faudrait, c'est pouvoir fouiller notre musicien. Regarder s'il n'a pas des talons truqués qui pourraient former une cachette, par exemple…

— Peut-être… mais je ne vois pas comment…

Elle ne peut terminer sa phrase. La porte s'ouvre brusquement, et Arthur Binagaz entre, guitare à la main. Il s'arrête sur le seuil, surpris de voir sa loge envahie, et demande sèchement :

— Qu'est-ce que vous faites ici ? C'est un lieu privé.

Œil de Lynx a aussitôt le réflexe de sortir sa carte.

— Je suis reporter à *France-Flash.* Voici mon assistante. C'est une stagiaire qui apprend le métier de journaliste. Cher monsieur Binagaz, nous sommes désolés de vous déranger, mais les lecteurs de notre journal seraient ravis de connaître vos impressions sur la nouvelle tournée… Puis-je vous poser quelques questions ?

Le jeune guitariste s'est un peu radouci. Il ajuste ses lunettes noires, esquisse un léger sourire et réplique :

— Bien sûr, je peux vous répondre, *puisque vous appartenez à un grand journal.*

— Je vous remercie. J'aimerais savoir depuis combien de temps vous êtes dans la troupe de Dynamite Bill ?

— Depuis trois mois environ.

— Et il y a longtemps que vous jouez de la guitare ?

— Depuis trois mois aussi.

— Ah ! En somme, vous ne saviez pas en jouer quand vous avez rejoint l'orchestre ?

— Non. Mais il suffit de savoir faire deux ou trois accords pour donner l'impression que l'on sait jouer.

— Très bien. Et quels sont vos projets ?

— Je vais continuer de suivre la tournée. Ensuite, je monterai peut-être mon propre show.

— Vous allez chanter, alors ?

— Oui. J'ai déjà quelques titres à mon futur répertoire. Par exemple : *Whaou wha,* ou *Baby bee bee.* Ou encore : *Hay hay, hééé !*

— Ce sont déjà de très bons titres.

— Oui, ça marchera à fond, j'en suis sûr. D'ailleurs, je réussis tout ce que j'entreprends. *Moi, j'ai de la veine !*

Œil de Lynx fait un large sourire.

— Eh bien, mon cher Arthur Binagaz, nos lecteurs seront ravis de mieux faire connaissance avec vous. Merci de nous avoir reçus !

— De rien.

Le musicien serre la main du journaliste qui sort en premier. Puis il fait un petit salut de la main à l'adresse de notre héroïne et lance d'un ton narquois :

— *Au revoir, Fantômette !*

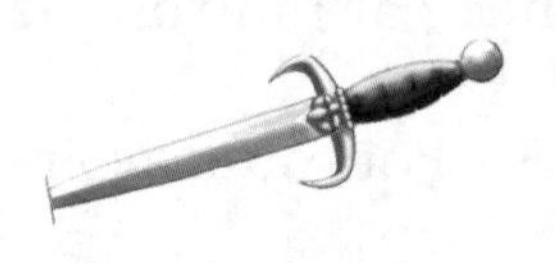

chapitre 7

Alpaga téléphone

Boulotte étale une épaisse couche de beurre sur la tartine, puis la retourne (pour que le beurre soit en contact avec sa langue) et commence à déguster cette friandise incomparable. Elle sort de la cuisine, passe devant la porte de la chambre de Ficelle. Elle entend alors un hurlement suivi d'un appel angoissé :

— À moi ! À moi !

Manquant de lâcher la précieuse tartine, Boulotte se précipite dans la chambre pour porter secours à son amie.

— Qu'est-ce qui se passe, Ficelle ? Un bandit vient de t'attaquer ?

— Un bandit ? Quel bandit ?

Ficelle est assise devant son bureau où s'étalent des feuilles de papier. Elle tient un feutre et semble très étonnée par l'intrusion de Boulotte qui demande :

— Mais pourquoi tu cries ? Pourquoi avoir appelé au secours ?

— Hein ? Moi ? Je n'appelle pas au secours ! Je suis en train de composer les paroles d'une chanson pour Dynamite Bill. Tiens, écoute !

Et la grande fille se remet à crier :

Aaaaaaah ! ! ! !
À moi ! À moi !
C'est à moi qu'il faut envoyer des fleurs !
Parce qu'en scène je fais un malheur !
Ouais, ouais ! C'est à moi... a... a... a...

Elle repose son papier et demande :

— Qu'en penses-tu, Boulotte ? C'est super, hein ? Je suis sûre qu'il va la trouver terrible, ma chanson. Il ne me reste plus qu'à inventer un titre... Attends... Ah ! ça y est ! Je vais l'appeler : *À moi !* C'est original, non ? Je crois que ça va être le tube de l'hiver ! Oui, ça va être une chanson formid' !

Elle se lève, court vers la salle de séjour, décroche le téléphone.

— Il faut que j'appelle Françoise. Je vais lui chanter ma chanson. Elle va en crever de jaunisse de n'avoir pas eu l'idée avant moi ! Parce que je suis la première à avoir pensé à ça ! À partir de désormais jusqu'à dorénavant, Dynabill va chanter uniquement des chansons de la divine Ficelle !...

Elle pianote le numéro sur les touches, écoute.

— Oh ! Mille malheurs de putréfaction ! Ça ne répond pas... Où est-elle donc passée, à cette heure-ci ? Ah ! je suis vraiment ennuyantée ! Comment faire maintenant pour qu'elle entende ma chanson sublime ? Je ne peux pas attendre toute la journée qu'elle revienne ! J'ai autre chose à faire, moi. Je dois aller au jardin pour cueillir des trèfles à deux feuilles. Ça risque de me prendre un bon bout de temps, parce qu'il paraît que c'est très rare, les trèfles à deux feuilles. Mais je veux tout de même en rapporter quelques-uns à Mlle Bigoudi, pour la leçon de botanique... Bon, alors comment m'y prendre, pour ma belle chanson ?

— Tu n'as qu'à l'enregistrer, et Françoise l'écoutera quand elle reviendra.

— Ah ! C'est une idée sublime que je viens d'avoir ! Oui, je vais l'enregistrer. Où est l'appareil ?

Elle se met à la recherche de l'enregistreur, le trouve dans la baignoire, sous une pile de dictionnaires, et entreprend de brailler « *À moi ! À moi !* » dans le micro. Lorsque cette intéressante opération prend fin, Ficelle recommande à Boulotte de faire entendre son chef-d'œuvre à Françoise. Puis elle vole à la dodue une nouvelle tartine et se rend en courant au jardin, où les promeneurs peuvent bientôt la voir à quatre pattes sur la pelouse interdite[1].

— Voilà la salle des fêtes. Ralentis, Bulldozer… Tiens, tu as une place libre juste en face…

Les bandits garent leur voiture. Le Furet pointe son doigt vers une 2 CV grise qui stationne un peu plus loin.

— Regardez, c'est la voiture d'Œil de Lynx. Il doit être dans les parages avec Fantômette. Probablement dans la salle, en train de récupérer le Dragon d'or. Qu'est-ce que tu fais, Alpaga ?

---

1. Quand je vois un écriteau « Pelouse interdite », j'ai toujours l'impression que c'est une pelouse étonnée ou stupéfaite. On pourrait également écrire « Gazon surpris ». (Note littéraire et végétale de Ficelle.)

— Regardez ce que je viens de dénicher, chef...

L'élégant brigand fouille dans un sac de dame qu'il a trouvé sur la banquette arrière. Il en sort une perruque rousse et une paire de lunettes à verres teintés. Le Furet, en découvrant ces objets, a un petit rire.

— Tiens, tiens ! C'est intéressant, ça. Alpaga, donne-moi cette perruque.

— Ah ? Pourquoi, chef ?

— Tu vas voir.

Le Furet se coiffe de la perruque, puis met les lunettes. Ce qui transforme complètement son visage. Alpaga, surpris, lui demande :

— Mais pourquoi mettez-vous ça, chef ? Vous voulez vous déguiser ?

— Parfaitement. Je veux pouvoir m'approcher de Fantômette et du journaliste sans qu'ils me reconnaissent. À ton avis, ça va marcher ?

— Oh ! sûrement. Vous n'avez plus du tout l'air d'un bandit. Maintenant, vous avez une tête d'honnête homme.

— C'est parfait ! Je vais flâner du côté de la salle des fêtes. Attendez-moi ici.

Il sort, traverse la rue, s'approche de la camionnette près de laquelle les techniciens continuent de s'affairer. Il n'a pas longtemps à attendre : c'est à cet instant que Fantômette et

Œil de Lynx sortent de la salle. À voir leur air mécontent, le Furet devine que leur visite n'a pas eu le résultat escompté.

« Ils n'ont pas récupéré le porte-bonheur, on dirait... »

En tournant la tête pour faire semblant de regarder ailleurs, il s'approche d'Œil de Lynx qui confie à Fantômette :

— Nous devons continuer notre surveillance, mais ça va être difficile, maintenant qu'il sait qui vous êtes.

— Vous avez raison. Il faudrait que quelqu'un d'autre puisse approcher d'Arthur Binagaz sans être soupçonné.

— Mais cela ne résoudrait quand même pas le problème de la cachette. Nous ne savons toujours pas où il est, ce dragon !

Le Furet leur tourne le dos, mais il tend l'oreille et ne perd pas un mot de la conversation. Œil de Lynx déclare alors :

— J'ai soif. Allons prendre quelque chose dans cette brasserie.

Ils entrent dans la brasserie, s'asseyent à la terrasse. Le Furet suit le mouvement avec discrétion et s'installe juste derrière eux, faisant mine de se plonger dans l'étude d'un menu. Le journaliste continue de se creuser le cerveau.

— La cachette… Voilà le problème ! Voyons, si je devais moi-même dissimuler un bijou, tout en le gardant à portée de la main, où le mettrais-je ? Dans ma casquette, peut-être… Ou dans ma pipe. Oui, dans ma pipe. Mais alors, je ne pourrais plus fumer…

Fantômette réfléchit aussi, en suçant la paille qui plonge dans une menthe à l'eau. Soudain, elle relève la tête, fait claquer sa langue et dit :

— Attendez, Œil ! Je crois que je tiens une petite idée…

— Ah ! Dites vite !

— Voyons… Essayons de nous mettre à la place d'Arthur. Il veut avoir constamment le porte-bonheur à proximité. Donc, l'emporter avec lui. C'est bien ça, n'est-ce pas ?

— Oui, évidemment.

— Or, quel est l'objet qu'un musicien emporte tout le temps, lorsqu'il fait une tournée ?

— Heu… son instrument de musique.

— Nous y voilà, Œil. Et quel est l'instrument d'Arthur Binagaz ? *Sa guitare.*

— Mille pipes ! Et vous croyez que le Dragon d'or est caché dans la guitare ?

— Ma foi, je le suppose. Je n'en suis pas certaine, mais il y a de fortes chances pour que ce soit la bonne cachette.

Le journaliste esquisse un mouvement pour se lever.

— Vite, allons vérifier…

Fantômette le retient.

— Pas maintenant, voyons ! Arthur doit être encore dans sa loge.

— Ah ! c'est vrai. Mais nous ne pouvons pas attendre non plus qu'il soit dans la salle, puisqu'il emporte son instrument sur scène.

— Bien sûr. Nous devons choisir le moment où il s'en sépare.

— Quand, alors ?

— Je n'en sais absolument rien, mon cher Œil. Peut-être qu'il ne lâche jamais sa guitare, le cher Éric.

Un moment s'écoule. Nos héros réfléchissent. Derrière eux, le Furet se lève silencieusement et quitte la terrasse, estimant qu'il en sait assez. Il rejoint ses complices dans la voiture, expose les faits :

— Mes enfants, je viens d'apprendre où est caché le Dragon d'or. Dans la guitare d'Arthur Binagaz.

Alpaga se frotte les mains.

— Bravo, chef ! Tous mes compliments. Allons vite chercher cette guitare, prenons le bijou, et allons le porter à César Hensor.

— Minute, Alpaga. Il paraît qu'Arthur ne quitte jamais sa guitare.

Bulldozer a un gros rire :

— Ha ! ha ! Je vais la lui faire lâcher, moi ! Un bon coup de poing sur le nez, et ce sera vite fait !

— Toujours aussi subtil ? Non, nous allons agir en douceur. Alpaga, tu sais prendre l'accent italien, hein ?

— Parbleu ! Je suis né à Capriccio Della Ragazza.

— Bon. Va dans cette cabine téléphonique et appelle la salle des fêtes. Tu te feras passer pour le metteur en scène Pericoloso Sporgersi, et tu demanderas à parler à Arthur Binagaz. Pendant que tu téléphoneras, nous irons voir dans sa loge si la guitare y est.

— Compris, chef !

Éric – alias Arthur – vient de mettre son costume de ville. Il sourit à son image que renvoie la glace en murmurant :

— Pauvre Fantômette ! Qu'elle est naïve de venir me regarder sous le nez. Elle a dû s'imaginer que je ne la reconnaîtrais pas, malgré ses lunettes noires. Mais nous sommes de vieux amis.

Ses réflexions sont interrompues par deux coups frappés à la porte.

— Entrez !

Le vigile qui gardait l'entrée à la salle des fêtes lui annonce :

— Monsieur Binagaz, on vous demande au téléphone…

— Qui est-ce ?

— Un Italien, il me semble. Un metteur en scène… Il s'appelle Torticoli ou Ravioli…

— Merci. Je viens…

Éric sort en donnant au passage une tape amicale sur sa guitare et suit le vigile jusqu'au hall, où se trouve un appareil dans une niche en forme de casque de motard.

Il saisit l'appareil.

— Allô ? Ici Arthur Binagaz…

— Ici lé mettor en scéné Pericoloso Sporgersi… Zé vous téléphoné dépouis Milano…

Le prétendu metteur en scène explique qu'il a l'intention de tourner un grand film musical qui s'intitulera *Lorsque l'empereur Néron jouait de la lyre en chantant pendant l'incendie de Rome.* Ce sera une superproduction en couleurs, relief et odeur de brûlé. Comme l'acteur qui tient le rôle de Néron ne sait pas jouer de la lyre, il faudra qu'il soit doublé par un guitariste, donc par Arthur Binagaz.

— Zé vous ai choisi parcé qué jé sais qué vous étes oun artiste dé grand, dé grandissime talent.

Il ajoute que les frais de voyage et de séjour seront à la charge de la firme cinématographique, et que le cachet offert au guitariste lui permettra de s'offrir deux ou trois villas à Hollywood, en plus d'un yacht. Il entreprend ensuite de décrire la ville de Rome, entièrement reconstruite en studio…

Mais il doit s'interrompre parce que, dit-il, le président de la République italienne l'appelle sur une autre ligne. Il raccroche. Arthur-Éric en fait autant et revient vers sa loge en sifflotant *Whaou Wha !*. Un beau contrat en perspective, un voyage en Italie tous frais payés, décidément, il a beaucoup de chance !

Il ouvre la porte de sa loge, entre et pousse un cri.

La guitare a disparu.

Le Furet sort en courant de la salle des fêtes, passant derrière le dos d'Arthur qui est en train de téléphoner dans le hall. Le brigand tient une guitare. Il s'approche de la cabine où Alpaga fait la description de Rome, tape contre la paroi vitrée et fait :

— Ça y est, tu peux raccrocher !

Les deux gangsters rejoignent Bulldozer qui les attend dans la voiture volée, une 707 beige.

— Démarre, Bull !

— Ah ! Vous avez la guitare, patron ?

— Tu le vois bien, gros ballot. Allez, tout droit devant !

La voiture démarre en fusée, passe devant la brasserie où Fantômette et Œil de Lynx sont toujours installés. En un geste de défi, le Furet sort la guitare par la portière et l'agite en éclatant de rire.

Le reporter et l'aventurière sont un instant stupéfaits. Œil de Lynx balbutie :

— Mais… mais c'est la guitare d'Éric ? Ils ont réussi à la lui prendre ?

— On dirait, oui. Pendant que nous réfléchissions, le Furet a agi. Mais enfin, comment a-t-il pu deviner que le Dragon d'or est à l'intérieur ?

— C'est de la magie !

Fantômette serre les poings.

— Mille pompons ! Je me débrouille comme une cruche, en ce moment ! Que le Furet soit intelligent, je l'admets. Mais qu'il le soit plus que moi, ça m'agace prodigieusement ! Ah ! Ça ne va pas se passer comme ça !

— Nous allons les poursuivre…

— Avec votre casserole ? Vous voulez rire, Œil !

— Comment, alors ? Je n'ai pas les moyens d'acheter une voiture de course !

— Non, mais vous pouvez peut-être payer un coup de téléphone ?

— Ça, oui.

— Alors, suivez-moi jusqu'à la cabine téléphonique. On va essayer quelque chose.

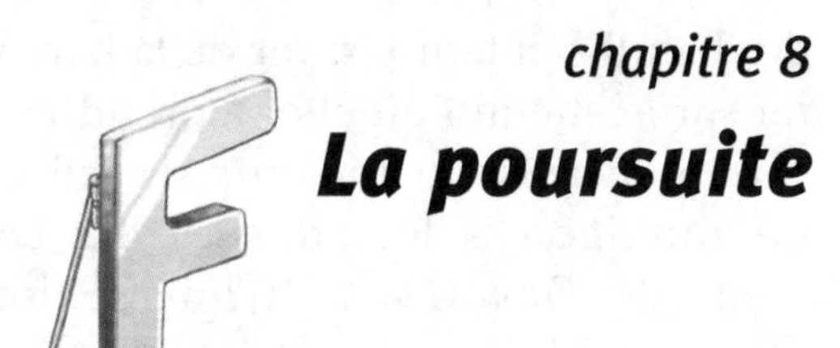

chapitre 8
La poursuite

Chaque grand journal a dans toute ville un correspondant qui le renseigne sur les nouvelles locales. Lorsqu'un chien se fait écraser, lorsque des majorettes se préparent à défiler ou que l'équipe du Football-Club verdâtre se prépare à battre le Peloton du vélo jaunâtre, le correspondant s'empresse de téléphoner la nouvelle au *Réveil des endormis* ou au grand quotidien de *Parissy-Lassorty*.

Il est donc important de savoir que :

1. Il y a dans le bourg de Passmoyla-Serpillière un correspondant de *France-Flash*.

2. La voiture beige du Furet se dirige vers cette localité.

On comprend maintenant l'idée de Fantômette. Comme la 2 CV d'Œil de Lynx est tout à fait incapable de poursuivre le véhicule des bandits, il faut essayer de la faire intercepter sur le chemin qu'elle va prendre.

Le journaliste a toujours sur lui un carnet où sont notées les adresses des correspondants de *France-Flash.* Il lui est donc facile d'appeler M. Pusseron-Desroziers, qui réside à Passmoyla-Serpillière[1] :

— Allô ? Le correspondant de *France-Flash* ? Bonjour, cher collègue. Ici Œil de Lynx. Nous travaillons pour le même journal.

M. Desroziers est ravi d'avoir au bout du fil un aussi illustre personnage que le reporter. Il s'empresse :

— Que puis-je faire pour vous, cher monsieur Œil de Lynx ?

— Voilà. Dans quelques minutes, une 707 beige va passer par Passmoyla-Serpillière. Il y a trois hommes à bord. Attention, ce sont des bandits très dangereux !

---

1. J'ai cherché ce nom-là dans ma géographie, et je n'ai rien trouvé du tout. À mon avis, c'est un nom inventé ! (Note soupçonneuse de Ficelle.)

— Des bandits ? Ah ! Chouette, alors ! Il faut que je les attrape et que je les étripe ? Parce qu'avec moi, ça ne va pas traîner, vous savez. Je dirige une salle de sport. La lutte, le catch, la boxe, ça me connaît. Le judo et le karaté aussi. Moi, je vais vous les attraper, vos gars, et en faire de la bouillie !

— Non, non, je ne vous en demande pas tant, cher monsieur. Il faut vous contenter de les suivre. Avez-vous une voiture rapide ?

— Je pense bien. Une Tatra quatre litres. Je vais poursuivre vos bonshommes comme dans les feuilletons américains, avec dérapages contrôlés, franchissement d'obstacles, traversée d'un mur en flammes…

— J'espère que ce ne sera pas nécessaire, cher collègue. Contentez-vous de les suivre de loin, sans vous faire remarquer.

— D'accord, vous pouvez compter sur moi.

— Merci. Où pouvons-nous nous retrouver ?

— Attendez-moi à ma salle de sport. C'est juste à l'entrée de la ville.

— Entendu !

Œil de Lynx raccroche.

— Eh bien, ma chère, vous avez eu une fameuse idée ! Sans vous, je ne vois pas comment nous aurions pu retrouver la trace du Furet !

— Ah ! Que voulez-vous, quand je suis à la poursuite de ce vilain coco, ça me chatouille la cervelle, comme dit Ficelle. Et puis, il fallait que je me remue un peu. Me faire piquer le Dragon d'or sous le nez, avouez que c'était vexant !

Ils montent dans la 2 CV, démarrent avec le bruit discret que ferait un quinze tonnes chargé de boîtes de sardines vides. À cent mètres en arrière, un motard monte sur sa machine. Il est vêtu de gris et dissimule ses cheveux blonds sous un casque noir. Il met en marche son moteur et suit la 2 CV, en conservant la distance.

Œil de Lynx allume sa pipe et se met à chantonner le grand succès rétro : *Bon Voyage, monsieur Dumollet !* Fantômette reprend le refrain en chœur.

Poussée par un vent favorable, la 2 CV parcourt en un temps assez réduit la distance qui la sépare de Passmoyla-Serpillière. Une des premières maisons est ornée d'un panneau où l'on voit l'image d'un judoka projetant son adversaire dans les airs. Devant la maison, un grand gaillard tout vêtu de blanc semble en attente. Œil de Lynx arrête la voiture et s'avance vers lui.

— Monsieur Pusseron-Desroziers ?

— Lui-même, cher collègue.

— Vous avez pu poursuivre les bandits ?

— Je n'ai même pas eu besoin de le faire ! Regardez, leur voiture est là-bas, devant l'auberge du *Croûton rassis.* Ils sont en train de déjeuner.

— Bien. Allons-y. Nous devons récupérer la guitare qu'ils ont volée.

— Ah ! Ce sont des voleurs de guitares ? Eh bien, on va leur jouer un air !

Accompagnés de Fantômette, les deux hommes se dirigent résolument vers l'auberge. Ils entrent, sont accueillis par un souriant et grassouillet propriétaire qui s'incline en demandant :

— Pour déjeuner ? Trois couverts ? Nous avons aujourd'hui de la poularde au chocolat, ma grande spécialité…

— Non, merci. Ce sera pour un autre jour, dit Œil de Lynx en marchant vers la table où le Furet, Alpaga et Bulldozer s'apprêtent à déguster la poularde en question.

Voyant surgir ce commando inattendu, le Furet glisse la main dans son veston pour y prendre un pistolet qui ne s'y trouve d'ailleurs pas (étant récemment sorti de prison, il n'a pas encore eu le temps de se réarmer). À peine a-t-il esquissé ce geste que Pusseron-Desroziers l'empoigne par le cou, le soulève de son siège et l'envoie voltiger à travers la salle. Bulldozer se lève alors et entreprend de retrousser ses manches pour pouvoir se battre plus aisément. M. Desroziers le met K.O. d'un excellent direct en plein estomac. Pendant ce temps, Alpaga veut tenter d'intervenir avec un couteau, mais Fantômette lui applique un coup de manchette sur le poignet, qui lui arrache une grimace de douleur en même temps que le couteau. Œil de Lynx s'empare de la guitare qui est posée sur une banquette et annonce :

— Opération terminée ! Évacuation immédiate !

Laissant les trois bandits en assez piteux état, nos héros saluent au passage l'aubergiste interloqué par cette bagarre imprévue, et sortent du *Croûton rassis.* C'est alors qu'arrive, longeant le trottoir, le motocycliste gris. D'un geste rapide, il rafle la guitare que tient Œil de Lynx et s'échappe en ouragan. Le journaliste balbutie :

— Oh !... Ah ! Ça mais... Mais... Ah ! nom de mille pipes mais... Qu'est-ce qui lui prend, à celui-là, de me piquer la guitare ?

Fantômette crie :

— Vous ne l'avez donc pas reconnu ? C'est Éric ! C'est Arthur Binagaz ! Vite, il faut le rattraper !

M. Pusseron-Desroziers s'empresse :

— Le poursuivre ? Prenons ma voiture... On va s'amuser !

Tout joyeux de tenir enfin sa poursuite à l'américaine, il laisse à peine le temps à Fantômette et Œil de Lynx de s'engouffrer dans sa Tatra rouge. Le démarrage est digne des 24 Heures du Mans. Bras allongés, sourcils froncés, le lutteur-catcheur-boxeur enfonce l'accélérateur, sans s'inquiéter de sa consommation d'essence. Le bourg de Passmoyla-Serpillière est traversé à une allure record. La voiture rouge pulvérise au passage le panier d'œufs qu'une brave ménagère rapportait du marché, frôle un agent de police qui en avale son sifflet, érafle la belle voiture neuve de M. le maire, écrase six chiens, trois chats et quelques passants[1].

Après un quart d'heure d'une ahurissante poursuite, Fantômette pointe un doigt vers l'avant.

— Là-bas ! C'est lui !

C'est Éric en effet. Il est arrêté sur le bord de la route et semble avoir des ennuis avec

1. J'ai l'impression qu'il y a parfois certaines exagérations dans les livres de *Fantômette*. (Note dubitative de Ficelle.)

son moteur. M. Pusseron-Desroziers donne un grand coup de frein et s'arrête à sa hauteur. Il descend, agite son poing et menace :

— Donne la guitare, gamin, sinon tu vas recevoir une leçon de boxe gratuite.

Très calme, Arthur Binagaz fait un signe négatif.

— Monsieur, il n'y a aucune raison pour que je vous donne ma guitare.

— Et pourquoi donc ?

— Parce que c'est la mienne. Prenez-la si vous y tenez, mais ce sera du vol pur et simple.

Comme le boxeur hésite, Fantômette intervient :

— La guitare est peut-être à toi, mais pas le bijou qui est caché à l'intérieur.

Pour toute réponse, Éric hausse les épaules et tend l'instrument à Fantômette. Elle le saisit, l'examine, regarde à travers l'ouïe.

Le musicien secoue la tête.

— Inutile de chercher. Il n'y a plus rien.

— Quoi ?

— Oui. J'avais fixé le Dragon d'or contre le fond avec du sparadrap. Mais quelqu'un l'a enlevé.

Fantômette et Œil de Lynx se regardent.

Qui donc a pris le porte-bonheur ?

Le Furet, évidemment. À l'auberge, en attendant qu'on serve la poularde au chocolat, il a eu tout le temps d'extraire le talisman. Poursuivre Éric n'aura servi à rien. Fantômette fait la moue.

— Et maintenant, le Furet a pu filer tranquillement. Décidément, nous avons la poisse, en ce moment !

Elle rend la guitare au musicien en disant :

— J'espère que tu ne voleras plus rien d'autre. Ça m'évitera de te courir après.

Laissant Éric, sa guitare et sa moto, nos enquêteurs remontent dans la Tatra qui fait demi-tour et revient à Passmoyla-Serpillière. Œil de Lynx serre la main du catcheur.

— Merci de nous avoir aidés.

— De rien, cher collègue. Je déplore seulement que vous n'ayez pas pu retrouver ce que vous cherchiez. En tout cas, moi, je ne regrette pas ma journée. Si jamais vous avez besoin d'un petit coup de main pour taper sur des gangsters, vous savez que je suis là !

— Entendu, c'est noté.

Fantômette et le reporter remontent dans la 2 CV qui repart vers Framboisy. Œil de Lynx se tourne vers sa passagère.

— Eh bien, que pouvons-nous faire maintenant ? Nous savons que le Furet a le talisman, mais nous ignorons où il est parti. Je ne vois plus aucun moyen de le retrouver…

— Vous ne voyez pas ? *Moi, si.*

chapitre 9

Le grand projet de Ficelle

— Boulotte, c'est la Loire qui se jette dans la Manche, ou les Alpes ?

La joufflue avale la figue sèche qu'elle était en train de mastiquer pour répondre :

— La Loire, c'est un fleuve qui passe dans les pays de Loire, où il y a des rillettes. Elle traverse ensuite Nantes où l'on mange des sardines grillées, et elle se jette dans l'Atlantique où l'on pêche du thon.

— Bon, d'accord. Et les Alpes, qu'est-ce que c'est ?

— Une grande montagne avec des vaches dessus, pour faire du fromage.

— Très bien. Voilà, mon devoir de géo est fini. Maintenant, passons aux choses sérieuses...

Elle arrache une feuille double à son cahier de français (sur lequel elle vient d'écrire son devoir de géographie), saisit un gros marqueur rouge et inscrit un titre en tirant la langue pour faciliter les choses :

LES CHAUSSETTES VERTES.

Boulotte extrait une autre figue du paquet et demande :

— Qu'est-ce que tu fais ?

— Je mets le titre de la grande comédie musicale que je vais écrire pour Dynamite Bill. Maintenant que je suis devenue une grande compositeuse, c'est moi qui vais faire tous ses textes fortement artistiques.

Elle ouvre la bouche comme pour avaler un papillon, regarde vers le plafond comme pour repérer ledit lépidoptère, puis elle sent que l'inspiration lui vient au cerveau comme un rhume. Elle s'écrie :

— Ah ! Ça y est, mon énorme Boulotte ! J'ai trouvé le début du commencement !

— Moi, je suis énorme ? Depuis que je fais un régime, je n'ai pris que cinq cents grammes de plus…

— Ne parle pas, ça me coupe la respiration. Ah ! Voilà, ça y est ! Au début, la scène est toute noire parce qu'il y a une éclipse de Lune. Ensuite, on voit une grande lumière verte. C'est une soucoupe volante qui descend au milieu du music-hall. Une porte s'ouvre : et que voit-on ? Je te le demande, Boulotte...

— On voit... heu... un grand plat de saucisses ?

— Mais non ! Que tu es bête ! On voit Dynamite Bill habillé en Martien, avec des chaussettes vertes. À cause du titre, tu comprends ? Alors, il se met à chanter un grand succès inconnu : *Hé ! hé ! ouais !* Une chanson dont je vais écrire les paroles tout de suite... Tiens, il me vient dans le crâne un texte formid' ! Écoute un peu ça, Boulotte, tu vas voir comme c'est ravissant :

Allons, allons !
J'ai des hauts talons,
Des pantalons longs,
Lon-laine et lon-lon !

La jeune parolière répète ce couplet cinq ou six fois, très fière d'avoir pondu ce chef-d'œuvre, puis elle sollicite l'avis de sa camarade :

— Qu'en dis-tu, Boulotte ? Tu dois te sentir remplie d'admiration et de figues sèches ?

La gourmande hoche la tête et répond, la bouche pleine :

— Vouais... Pas mal...

Satisfaite par ce qu'elle considère comme un vif compliment, l'artiste se lance aussitôt dans la rédaction du second couplet de sa comédie musicale. Il est encore meilleur que le premier :

Hein, hein, hein, hein,
Ah ! c'que j'suis fin !
Hein, hein, hein, hein,
Ah ! c'que j'suis fin !

Ficelle repose son stylo, fait claquer sa langue, se frotte les mains.

— Vraiment, je me sens en pleine forme, aujourd'hui. J'ai des idées formid' ! Tiens, je sais ce qui va se passer, maintenant. Dynamite Bill retire ses chaussettes vertes et les lance vers le public. Alors, il se produit une fantastique bagarre dans la salle ! Ça, c'est une idée merveilleuse !

Laissons la prodigieuse parolière inventer de sublimes couplets, et revenons sur la route qui ramène Fantômette et Œil de Lynx vers Parissy-Lassorty. Le journaliste demande :

— Comment pouvez-vous savoir à quel endroit va se rendre le Furet ? Vous êtes magicienne, ou quoi ?

— Magicienne ? Pas du tout. Il suffit de réfléchir un instant. Pourquoi le Furet a-t-il mis la main sur le Dragon d'or ? Pour pouvoir le rapporter à César Hensor et toucher la récompense. Donc, maintenant qu'il possède le bijou, il va aller chez l'imprésario. C'est évident.

— Mille pipes ! Je n'y avais pas pensé. Mais oui, bien sûr, il va essayer d'encaisser la prime. Seulement, il a de l'avance sur nous. Même si j'appuie à fond sur le champignon, les bandits arriveront avant nous chez César Hensor.

— Vous avez raison, mon cher Œil. Nous devons donc nous arranger pour qu'ils ne trouvent pas César quand ils arriveront chez lui. Ah ! Je vois là-bas un bureau de poste. Vous pouvez vous arrêter ?

La 2 CV stoppe, et nos deux enquêteurs entrent dans le bureau. Fantômette entre en communication avec l'imprésario :

— Allô ! Monsieur Hensor ? Ici Fantômette. J'ai de bonnes nouvelles à vous annoncer. J'ai repris le Dragon à Arthur, et je l'ai sur moi. Je puis vous le remettre quand vous voudrez.

À l'autre bout du fil, l'imprésario pousse un soupir de satisfaction et déclare :

— Je savais bien que l'on pouvait avoir confiance en vous. Apportez-moi immédiatement mon talisman à mon bureau.

— C'est que… Je ne peux pas me déplacer. La voiture que j'utilise est en panne. Il faut que vous veniez.

— Où êtes-vous ?

— À Brest.

— Quoi ? À Brest ? Au bout de la Bretagne ?

— Oui. Dépêchez-vous de venir, sinon je ne réponds plus de rien. Je suis entourée d'ennemis qui veulent aussi s'emparer de votre Dragon. Vous me retrouverez à l'hôtel des *Terre-Neuvas.*

Tandis qu'elle raccroche, Œil de Lynx laisse échapper un sifflement de surprise.

— Par exemple ! Si je pouvais supposer ! Nous ne sommes pas à Brest, et vous n'avez pas le Dragon d'or ! Vous êtes la reine des menteuses, Fantômette !

La justicière sourit.

— Je ne mens pas, j'invente. Je me sers de la ruse. Avouez que c'est tout de même mieux que de manier le revolver, comme le Furet !

La 2 CV se faufile dans les embouteillages, grâce au fin coup de volant du reporter qui n'hésite pas à froisser sa carrosserie, et, au bout de trois quarts d'heure, parvient dans le quartier élégant où réside César Hensor.

Une voiture déboîte et s'en va, ce qui permet à Œil de Lynx de garer sa casserole ambulante devant l'immeuble de l'imprésario.

— Que faisons-nous, maintenant ? Nous allons chez César Hensor ?

— Inutile. D'abord, il ne doit plus être là, mais en route pour Brest. Ensuite, nous risquerions de tomber sur le Furet et sa bande qui y sont peut-être déjà.

— Vous croyez ?

— Oui. J'espère qu'il s'est rendu ici directement, pour remettre le Dragon d'or… Ah ! Qu'est-ce que je disais !

Le trio est en train de sortir de l'immeuble, mains dans les poches, l'air contrarié. Les bandits n'ont évidemment pas pu rencontrer l'imprésario, et ils repartent sans la récompense. Ils remontent dans la 707 beige, démarrent. Œil de Lynx demande :

— Nous les suivons ?

— Oui, bien sûr. Ils ont toujours le porte-bonheur, et j'ai bien l'intention de le leur reprendre. Suivez-les, si votre marmite vous le permet.

Les multiples feux rouges ralentissent la circulation, ce qui facilite la filature. La 707 sort des quartiers chic, s'enfonce dans une banlieue où les pavillons voisinent avec des entrepôts et des fabriques. On traverse Rueil-Billancourt, Montreuil-Levallois, Clichy-la-Garenne. Le véhicule des gangsters longe les voies ferrées multiples d'une gare de marchandises et s'arrête. Œil de Lynx s'empresse d'engager sa 2 CV dans une petite rue transversale, pour éviter d'être repéré. La justicière est déjà en bas, courant vers les voies ferrées. Elle se cache derrière la masse d'un transformateur pour observer le manège des bandits. Œil de Lynx la rejoint.

— Que font-ils ?

— Ils sont descendus de la voiture et sont partis vers ces wagons, là-bas…

— Ah ! Ils veulent peut-être prendre le train ?

— Je ne sais pas. Il faut les surveiller et voir ce qu'ils manigancent.

Œil de Lynx jette un coup d'œil sur sa montre.

— Zut ! déjà quatre heures ! Le rédacteur en chef va me passer un savon !

— Ah ! Il vous attend ?

— C'est-à-dire que… Cet après-midi, il y a la réunion hebdomadaire des rédacteurs, pour préparer le programme de la semaine.

— Eh bien, allez-y, Œil ! Il ne faut pas que vous perdiez votre temps ici.

— Mais je ne peux pas vous laisser toute seule faire la chasse aux bandits !

— Oh ! Rassurez-vous, j'ai l'habitude ! Ce n'est pas un Furet qui pourra me faire peur. Allez, filez vite !

— Bon, mais je reviens dès que possible.

— Entendu. Ah ! Attendez que je reprenne mon petit sac, dans votre voiture.

— Il y a des choses précieuses dedans ?

— Je pense bien ! Mon costume de Fantômette, en soie jaune.

La jeune aventurière récupère son sac, serre la main du journaliste qui repart, et elle enfile sa tenue de justicière en moins de temps qu'il n'en faut pour le faire.

Elle saute une barrière de ciment qui sépare la rue des voies ferrées, marche vers les wagons entre lesquels le Furet et ses complices ont disparu. Alors qu'elle se glisse le long d'une voiture-bar, un bruit de voix se fait entendre. Fantômette s'immobilise, tend l'oreille. Le son passe par une fenêtre entrouverte. Notre justicière s'approche, risque un œil par l'ouverture. Le Furet et ses complices sont attablés devant des assiettes qu'un homme chauve et moustachu est en train de remplir. D'un ton jovial, il déclare :

— Et vous pouvez y aller ! C'est gratuit ! J'ai un copain qui fournit la nourriture des voitures-bars.

— Mais comment fais-tu pour avoir des plats chauds, Zigoto ? demande Le Furet.

— Facile ! Je me suis branché sur une ligne électrique. La cuisine de cette voiture fonctionne exactement comme si le train circulait. Et c'est la même chose pour la voiture-couchette qui est derrière nous. Chauffage sans payer. Quant à la literie, il n'y a pas de problème. J'ai un autre ami qui travaille à la blanchisserie des Chemins de fer. Les draps propres sont fournis gratis.

— En somme, il y a tout ce qu'il faut dans cette gare de marchandises ?

— Absolument ! Je vis ici comme dans un hôtel de luxe, sans rien débourser.

— Mais personne ne vient te déranger ? Tu ne risques pas d'être inquiété ?

Le nommé Zigoto secoue la tête.

— Aucun risque ! Les voitures qui stationnent ici font partie du matériel en réserve que l'on met en service au moment des vacances. Tu sais, quand on dit que des trains supplémentaires ont été ajoutés ? Comme les prochains départs n'auront lieu que dans deux mois, personne ne touchera à ces wagons d'ici là. Ah ! c'est une fameuse combine, mon petit Furet.

— Très bien. Mais nous n'allons quand même pas t'encombrer trop longtemps. Nous passons juste la nuit, et nous repartirons demain matin. Nous devons rencontrer l'imprésario César Hensor. Pour l'instant, il est en voyage, mais il reviendra demain.

— Tu peux rester tant que tu voudras, mon vieux Furet. La voiture-restaurant et les couchettes sont à ta disposition. Encore un peu de foie gras ? Tu n'as peut-être plus faim au milieu de l'après-midi ?

Bulldozer apporte son grain de sel :

— Nous avons failli manger une poularde au chocolat, mais l'affreuse Fantômette est venue nous embêter. J'ai faim, moi ! Je veux bien du foie gras !

Et le gros goinfre enfourne le pâté dans sa bouche grande ouverte. La jeune aventurière, qui estime maintenant en savoir assez, peut prendre le temps de réfléchir.

« Le Furet s'est installé dans cette gare, et il va passer la nuit dans une couchette. C'est à ce moment-là que je pourrai essayer d'entrer dans son compartiment et de récupérer discrètement le Dragon. D'ici là, je ne peux rien faire qu'attendre… »

Elle monte dans une voiture, s'installe dans un compartiment, et comme elle ne peut laisser son cerveau inactif, elle entreprend de réciter mentalement la liste de tous les fleuves du monde, avec leurs affluents et les villes arrosées.

chapitre 10
Terrible situation !

— Alors, raconte, mon vieux Furet…

— Ah ! c'était un coup extraordinaire que j'avais combiné ! Le coup du siècle. J'avais décidé de voler le Régent.

— Quoi ? Le diamant qui est au Louvre ?

— Parfaitement. Un joli caillou, tu peux me croire. L'opération a d'ailleurs parfaitement réussi. Pas vrai, les gars ?

Le gros Bulldozer pousse un grognement pour marquer son approbation, et Alpaga exhibe une rangée de dents éblouissantes.

— Un coup magnifique ! Une opération géniale ! Malheureusement, la Fantômette est venue fourrer son nez dans nos affaires, comme d'habitude…

Le Furet a un petit rire inquiétant.

— Ne t'inquiète pas, Alpaga. Nous finirons bien un jour ou l'autre par lui mettre la main dessus, et nous lui réglerons son compte.

— On l'aplatira, chef ? demande Bulldozer en mordant dans une côtelette.

— Je te le promets, Bull. Depuis le temps que tu as envie de l'écrabouiller... C'est toi qui auras le privilège de le faire.

— Ah ! Merci, chef, vous êtes bien bon.

Les trois bandits sont toujours à table en compagnie de Zigoto, qui est un ancien faussaire. Le repas se prolonge interminablement, tandis qu'on échange des souvenirs de la prison. Zigoto explique comment il avait organisé un trafic de faux tableaux entre le Groenland et la Patagonie. Le Furet relate quelques-unes de ses évasions, et Alpaga révèle une habile escroquerie qu'il avait imaginée quelques années auparavant. Il avait découvert chez un fripier tout un lot de cravates défraîchies qu'il avait achetées à bon compte. Il les revendait aux touristes étrangers à prix d'or, en faisant croire qu'il s'agissait des cravates de Napoléon.

Les quatre malfaiteurs boivent, fument, bavardent jusqu'à la nuit tombante. Puis le gros Bulldozer s'étire et bâille en grognant :

— T'as parlé de couchettes, Zigoto ? Où c'est, ça ?

— Le wagon d'à côté. Tu peux t'installer dans le compartiment que tu voudras, ce n'est pas la place qui manque.

— Bon, alors, j'vais m'coucher !

Le Furet jette un coup d'œil sur sa montre (qu'il a discrètement volée au propriétaire de l'auberge du *Croûton rassis*) et déclare qu'il est tard. Lui aussi a besoin de dormir.

Zigoto les accompagne jusqu'à la voiture-couchette en expliquant :

— C'est assez confortable, mais moi je ne dors qu'une ou deux heures par nuit. C'est une habitude que j'ai prise du temps où je dessinais de faux billets de banque. Je travaillais toujours la nuit.

Le Furet et ses complices choisissent chacun un compartiment. Ils se souhaitent de rêver à de beaux cambriolages, se glissent entre les draps et s'endorment.

Une heure se passe.

Une mince silhouette ouvre la portière d'une voiture de voyageurs située sur la même voie, descend silencieusement, puis escalade le marchepied du wagon-couchette, pénètre à l'intérieur. Les lumières des lampadaires qui éclairent la gare de triage permettent de distinguer assez bien l'intérieur des couloirs et des compartiments. Fantômette repère très facilement celui où se trouve Bulldozer. Il s'en échappe des ronflements qui évoquent un tracteur. Dans le compartiment suivant est allongé Alpaga, bien à plat sur la couchette pour ne pas froisser ses sous-vêtements. Ensuite, il y a le Furet.

« C'est là que ça devient délicat, ma petite Fantômette. De la prudence, du doigté, de la finesse… »

En retenant sa respiration, la jeune aventurière pose la main sur la poignée de la porte, fait glisser doucement le battant. Le bruit léger d'une respiration régulière lui parvient. Le Furet est certainement endormi. Il s'agit maintenant d'explorer les poches de ses vêtements qui sont accrochés à une patère métallique, près de la fenêtre. Fantômette traverse le compartiment en marchant sur la pointe des pieds. Malgré la demi-obscurité, elle distingue le veston du bandit. Elle glisse une main dans une des poches extérieures. Elle est vide.

« Essayons l'autre… »

En tâtonnant, elle trouve l'autre poche, s'apprête à l'explorer.

Le compartiment s'illumine brutalement et une voix ordonne :

— Haut les mains, Fantômette !

La justicière, bien que surprise, garde son sang-froid. Sans faire de geste brusque, elle lève les mains et tourne la tête pour voir quel est celui qui vient d'entrer. C'est Zigoto.

L'homme chauve sourit[1].

— Tu ne t'attendais pas à ça, hein ? Je dors très mal, moi, et le moindre bruit me réveille. Tu sais qu'une mouche avec une jambe de bois, ça fait un raffut épouvantable ?

Le Furet, brusquement réveillé, se dresse sur sa couchette et regarde autour de lui avec effarement. Il demande :

— Qu'est-ce qui se passe ? C'est toi, Zigoto ? Qu'est-ce que tu fais avec ce revolver ?

— Regarde donc ! Ton amie Fantômette vient te rendre visite et fouille dans tes poches !

Le Furet pose son regard sur la justicière et s'exclame :

— Tiens ! Mais c'est ma foi vrai ! C'est notre petite camarade masquée. Alors, tu viens me faire les poches, à ce qu'on dit ? Tu t'intéresses au Dragon d'or, hein ? Eh bien, ça m'a l'air raté !

---

1. Françoise m'a dit que c'est un jeu de mots, mais je ne vois pas ce qu'il y a de drôle ! (Note agacée de Ficelle.)

Il se tourne vers Zigoto.

— Mes compliments ! Si tu n'étais pas venu, elle allait faire du joli travail !

Par prudence, il fouille dans la poche de son veston pour s'assurer que le talisman est toujours là.

— Regarde, Fantômette. Un joli bijou, n'est-ce pas ? Mais ce n'est pas pour toi. Demain matin, je le rendrai à son propriétaire.

Le bandit tient entre le pouce et l'index un petit dragon jaune et brillant, de la dimension d'un dé à coudre. Il a des ailes, une queue fourchue et un museau allongé comme celui d'un crocodile. Ses yeux rouges sont deux rubis. Le Furet le remet dans sa poche, sort du compartiment et appelle ses deux complices en renfort :

— Alpaga, trouve une corde pour attacher cette petite peste. Bulldozer, tu vas pouvoir réaliser le rêve de ta vie : aplatir Fantômette.

— Ah ! Chef, cette nuit est le plus beau jour de ma vie !

Fantômette tenterait bien de résister, mais que faire contre quatre adultes qui la maintiennent solidement ? Elle ne peut que céder et se voir ficelée comme un rôti prêt pour le four. Le Furet ordonne :

— Sortez-la du train !

— Ah ! On va se promener ? questionne l'aventurière.

— On ne va pas aller bien loin. Juste au bout du train.

— Et pourquoi au bout du train ?

— Tu vas le voir. Et surtout, *tu vas le sentir.*

Soulevée par Bulldozer pour qui elle ne pèse pratiquement rien, Fantômette est amenée jusqu'au dernier wagon du convoi immobile. Elle demande :

— Et maintenant, mon cher Furet ?

— Tu vas voir. Il n'y en a plus pour longtemps. Bulldozer !

— Chef ?

— Attache-la contre ce tampon.

— Tout de suite, chef.

Avec l'aide d'Alpaga et de Zigoto, le gros bandit lie la prisonnière au tampon de métal arrondi contre lequel il l'a adossée. Fantômette se met à rire :

— C'est bien ce que je pensais. Vous n'êtes pas plus avancés qu'avant. Je suis fixée contre un tampon de wagon. Et après ? Je ne peux pas bouger ? Bah ! La belle affaire ! Je n'avais pas l'intention de courir un cent mètres, vous savez. D'autant moins que je n'ai pas pu reprendre le Dragon… Donc, vous perdez votre temps !

Le Furet laisse échapper un ricanement sinistre :

— Oh ! non, je ne perds pas mon temps. Je vais me débarrasser de toi une fois pour toutes. Et, ainsi que je l'ai promis à Bulldozer, *tu seras écrasée.*

La justicière ne voit pas très bien où le gangster veut en venir, mais elle commence à se sentir froid au dos. Non pas à cause du métal glacé, mais parce que la situation prend décidément une vilaine tournure.

Le Furet s'éloigne en direction d'une locomotive électrique qui stationne à une centaine de mètres plus loin. Il monte à bord, suivi par ses trois acolytes. Fantômette se sent devenir très pâle. Elle comprend maintenant ce que les bandits ont l'intention de faire. Un moment s'écoule, puis l'aventurière perçoit un grondement, en même temps que les rails se mettent à vibrer. La locomotive s'est mise en marche. Elle vient, elle se rapproche…

« Mille pompons noirs ! Ce n'est pas possible ? Ce machin ne va pas venir m'écraser contre mon tampon ? »

Mais si ! Comme dans un cauchemar, Fantômette voit la masse noire de la locomotive grandir peu à peu. L'énorme engin roule dans sa direction, lentement mais sûrement.

La justicière se tortille, essaie de se libérer du tampon, gigote comme cent diables. Mais Bulldozer l'a solidement attachée, et elle ne parvient pas à s'écarter du disque d'acier. Maintenant, elle est certaine de la fin qui l'attend : elle va être prise entre le tampon du wagon et celui de la loco. Défoncée, aplatie en une seconde !

« Ma vieille, c'est fichu ! Dans cinq secondes, plus de Fantômette ! Ah ! On ne m'y reprendra pas, à me mêler de retrouver des porte-bonheur ! Dommage que je n'aie pas pu mettre la main dessus. Il m'aurait peut-être sauvé la vie. Maintenant, c'est trop tard… »

Elle ferme les yeux et attend le choc.

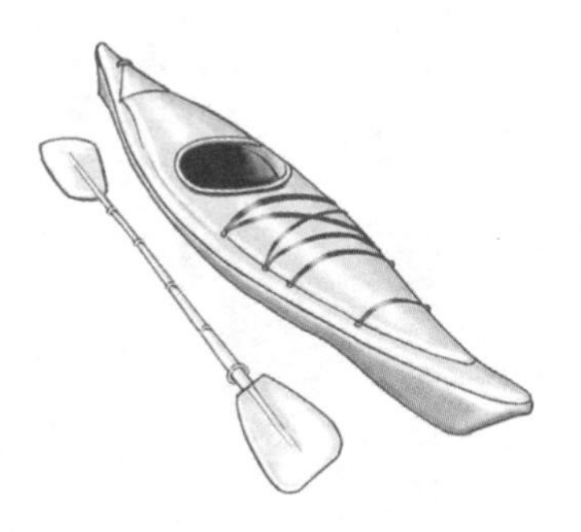

chapitre 11

Surprenante apparition

Deux silhouettes. Celle d'un homme, et une autre plus petite. Ils courent en coupant les voies, sautent dans la locomotive. On perçoit le grincement des freins. La machine ralentit, s'arrête à quelques centimètres de Fantômette qui pousse un soupir de soulagement.

« Ouf ! Eh bien, ma vieille, tu reviens de loin ! Une demi-seconde de plus, et j'étais gentiment écrabouillée ! »

L'obscurité ne lui a pas permis de distinguer nettement qui sont ses sauveurs. Car ce sont évidemment eux qui viennent de provoquer l'arrêt de la loco. Elle écoute. Une voix ordonne :

— Descendez, messieurs ! Vite, je n'ai pas de temps à perdre !

Fantômette reconnaît cette voix sèche, métallique.

« Est-ce que ce serait... ? »

Les quatre bandits descendent de la machine en levant les bras. Derrière eux vient un jeune motocycliste : Éric. Et derrière lui, son père. C'est-à-dire le Masque d'Argent. Curieux personnage, dont le visage est toujours caché par un masque.

Désignant la justicière du canon de la mitraillette qu'il tient, il lance :

— Détachez-la de ce tampon ! Allons, pressons !

Fantômette juge assez divertissant d'être délivrée par celui qu'elle a souvent combattu. Sans doute est-il revenu à de meilleurs sentiments. Seulement, l'agréable surprise que ressent notre héroïne ne dure pas longtemps. Le Masque d'Argent ajoute une petite phrase inquiétante :

— *Mais laissez-lui les mains attachées.*

Pendant que Bulldozer la libère du tampon, le Masque questionne le Furet :

— Où se trouve le Dragon d'or ? Vite ! Tu me réponds, ou je te change en écumoire à courants d'air !

— Dans une poche de mon veston. Là-haut, dans le deuxième compartiment.

— Bien. Éric, va chercher le bijou. Toi, Fantômette, viens par ici. Nous sommes de vieux amis, n'est-ce pas ? Nous n'allons plus nous quitter.

— Je suis ravie de vous retrouver, cher beau masque.

— Tais-toi. Je ne te demande pas ton avis.

— Je vous le donne quand même. Je suis d'une générosité sans égale, cher masque de fer étamé.

Le retour d'Éric-Arthur met fin à ce dialogue aigre-doux. Le Masque d'Argent examine un instant le porte-bonheur, puis le met dans sa poche et ordonne aux bandits :

— Maintenant, filez tous ! Je vous ai assez vus. Et en vitesse ! Je compte jusqu'à dix, et je tire dans le tas. S'il reste encore quelqu'un, tant pis pour lui !

Le Furet, ses complices et Zigoto ne jugent pas utile de faire une démonstration de bravoure. Ils tournent les talons et s'enfuient comme un troupeau de zèbres[1].

---

1. Il est utile de savoir qu'un zèbre s'appelle un zèbre parce qu'il court très vite. (Note zébrologique de Ficelle.)

Le Masque d'Argent s'adresse alors à Fantômette :

— Maintenant, tu te tais et tu viens avec nous.

— Je veux bien consentir à vous suivre parce que vous êtes armé, seulement pour me faire taire, je vous préviens que ça va être difficile si j'ai envie de parler.

Pour toute réponse, le Masque hausse les épaules et fait avancer la justicière en la poussant avec son arme. Ils traversent les voies, passent par-dessus la barrière. Éric ouvre la portière d'une grande voiture noire et s'installe à l'arrière, à côté de Fantômette, tandis que son père prend le volant. On démarre.

Bien décidée à ne pas rester muette, la jeune justicière demande à Éric :

— Dis-moi, mon cher Éric ou Arthur… Je ne sais pas comment il faut t'appeler… Comment as-tu pu te trouver à point pour arrêter la loco ?

Éric consent à répondre :

— Facile. J'ai tout de suite trouvé la panne de ma moto, et j'ai facilement rattrapé le tacot du journaliste. J'ai vu que vous alliez devant le domicile de César Hensor, et qu'ensuite vous preniez en filature la 707 du Furet. Je t'ai repérée quand tu es montée dans un wagon. Je suis reparti pour prévenir mon père, et nous sommes venus à la gare juste au moment où le Furet t'attachait au tampon.

— Eh bien, c'était une belle initiative. Merci de m'avoir sauvé la vie.

— Ne nous remercie pas trop vite, Fantômette. À partir de maintenant elle nous appartient, ta vie. Pas vrai, p'pa ?

Le Masque fait « oui » d'un signe de tête.

Du coup, Fantômette ne dit plus rien. Si le péril n'est pas immédiat, la menace est néanmoins présente. Qu'est-ce que le Masque d'Argent peut bien avoir en tête ? Une vengeance, bien sûr. La jeune aventurière a si souvent fait échouer les projets malfaisants de l'homme masqué, qu'il doit éprouver une forte envie de l'écraser... à sa manière !

« Qu'est-il en train de mijoter ? Je n'aime pas du tout ça ! Si seulement je pouvais détacher la ficelle qui me tient les mains... »

Elle essaie de trouver les nœuds qui lient la corde, mais ils sont si serrés qu'elle ne peut rien faire. Quelqu'un viendra-t-il à son secours ? Elle pense à Œil de Lynx qui avait promis de revenir à la gare de triage. Elle tourne la tête pour voir si quelque 2 CV suivrait la voiture, mais il n'y a rien en vue.

La voiture noire traverse Vaugival, Croissy-le-Roi, s'arrête en bordure de la Seine. On descend. Le long d'un quai, éclairé par des lampadaires près d'un dépôt de matériaux de construction, une péniche est amarrée. Ouvrant la marche, le Masque d'Argent monte à bord.

— Nous partons en croisière ? demande Fantômette. Dites, m'sieur le beau masque, vous n'avez rien de mieux, comme yacht ? C'est ça, votre bateau de plaisance, un chaland rempli de sable ? Ah ! vous me décevez. Je vous croyais plus à votre aise…

— Tais-toi ! Entre là-dedans…

Le Masque d'Argent désigne la cabine qui s'élève à l'arrière de la péniche. Il allume une lampe, et Fantômette peut voir qu'il y a là un carré avec une cuisinette, une table, des tabourets. À côté se trouve une petite chambre comprenant des lits superposés. Faisant face à l'avant se trouve le poste de pilotage.

Le Masque enferme Fantômette dans la chambre, entre dans le poste et met en marche le moteur, pendant qu'Éric détache les amarres. Le bateau vibre au rythme des « dong-dong-dong » du diesel et commence à s'éloigner du quai, en descendant le courant.

À travers une étroite fenêtre, la prisonnière tente de percer l'obscurité pour voir défiler les rives. Elle aperçoit des entrepôts, des murs d'usines, des entassements de sacs de ciment ou de bois de charpente.

« Nous descendons le cours de la Seine, ce qui doit nous amener à traverser Rouen. Puis Le Havre. Il faudra bien que nous nous arrêtions, puisque après c'est l'embouchure et la Manche. Une péniche comme celle-ci ne peut pas aller en mer… »

Elle sent que le sommeil commence à venir. Alors elle s'allonge sur la couchette inférieure et s'endort tranquillement.

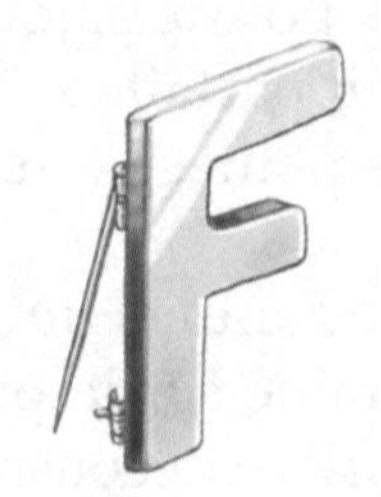

chapitre 12

Une fin épouvantable !

Une aube grise se lève mollement sur la Seine. Les berges sont enveloppées d'une brume que le soleil rougeâtre a du mal à percer. Fantômette ouvre les yeux, revient immédiatement à la réalité. Elle est toujours allongée sur la couchette, dans la péniche qui avance avec régularité sur un fleuve dont la surface s'élargit peu à peu.

Fantômette se met debout, regarde par la fenêtre. Les rives, couvertes de hangars et de grues, paraissent s'éloigner.

« Nous approchons de l'embouchure… Ce doit être Le Havre. »

La porte s'ouvre, et le Masque apparaît.

— Bien dormi, ma chère ?

— Comme un bébé, mon gentil masque. Vous m'apportez mon café ? Avec des croissants, s'il vous plaît. Si vous pouviez ajouter un œuf et du bacon, ce serait parfait…

— Inutile de manger, ma petite. Ce serait du gaspillage.

Il empoigne brutalement Fantômette par le haut de sa tunique, l'entraîne sur le pont. Pendant un instant, l'aventurière découvre le vaste estuaire de la Seine et la ligne sombre de la Manche. Mais elle n'a guère le loisir d'observer le paysage. Le Masque donne un ordre :

— Éric, apporte le sac ! Tu as mis assez de sable ?

— Un tiers à peu près.

— Bon, c'est parfait.

Éric-Arthur traîne un grand sac de toile où il vient de jeter quelques pelletées de sable, et le maintient ouvert pendant que le Masque s'efforce d'y faire entrer Fantômette qui se débat en criant :

— Non, mais qu'est-ce qui vous prend ? Vous voulez me mettre en sac comme une demi-livre de bonbons ? En voilà des manières ! Voulez-vous me lâcher, espèce de grand malotru ! À quoi ça rime ? Vous me délivrez, et maintenant vous voulez me faire boire la tasse. Aucune suite dans les idées, ces gens-là !

— Ma chère, je ne voulais pas me priver du plaisir de te liquider *moi-même.*

Et d'un coup de poing en pleine poitrine, le Masque d'Argent étourdit la justicière et réussit à la fourrer dans le sac dont il referme l'ouverture en le liant avec une corde.

— Ouf ! Quelle agitée ! Un véritable asticot. Mais maintenant elle ne nous causera plus d'ennuis.

— On la jette tout de suite à l'eau, p'pa ?

— Non. Quand nous serons au-delà de l'embouchure. Dès que le transbordement des caisses sera terminé.

Il revient dans le poste de pilotage, prend une paire de jumelles et scrute l'horizon. Des bateaux apparaissent dans son champ de vision. Des cargos, des remorqueurs, paquebot, des voiliers…

Mais aussi un bateau nettement plus petit. Une vedette rapide de couleur blanche, qui se rapproche à toute allure, traçant un V majuscule sur les eaux verdâtres.

— Ah ! les voici ! Ils sont à l'heure au rendez-vous.

En quelques minutes, la vedette rejoint la péniche et met son moteur au ralenti. Elle vient aborder près de la proue à laquelle elle s'amarre. Le Masque d'Argent fait un signe à un marin vêtu de noir, coiffé d'une casquette d'officier.

— Tu as fait bon voyage, Kalbar ?

— Oui. Pas de problème avec la douane. Et toi, tu as la marchandise ?

— Les caisses sont cachées dans le sable.

— Très bien. Envoie !

Avec l'aide d'Éric, le Masque d'Argent déterre des petites caisses en bois et les jette vers le nommé Kalbar qui les attrape au vol et les fait passer aux trois ou quatre matelots de la vedette. En quelques minutes, le transbordement est fait. Éric détache l'amarre, Kalbar et le Masque se saluent. Puis la vedette fait ronfler son moteur, vire de bord et repart vers le large. Le Masque d'Argent se frotte les mains.

— Bonne petite opération. Je ne suis pas fâché d'avoir trouvé ce moyen discret pour faire sortir cet opium de France. J'ai de bonnes idées, moi ! Et maintenant, occupons-nous de Fantômette. Nous sommes assez loin des rives.

Ils reviennent vers l'arrière de la péniche, où se trouve le sac.

— Tu prends le haut, Éric, et je prends le bas.

Ils soulèvent le sac, le balancent.

— Un… deux… trois !

D'un vigoureux mouvement, le sac est projeté par-dessus bord. Il retombe avec un « Floc ! » qui fait jaillir une gerbe d'eau. Le sac disparaît en faisant naître une série de cercles concentriques qui s'effacent peu à peu.

Telle est la fin tragique de Fantômette !

Le Masque d'Argent revient en chantonnant dans la cabine, tourne la roue du gouvernail. La péniche fait lentement demi-tour et commence à remonter le cours de la Seine.

— Et maintenant, qu'est-ce que tu vas faire du Dragon d'or, p'pa ? Tu vas le garder ?

— Non, ça ne m'intéresse pas.

— Quoi ! Mais c'est un talisman, p'pa !

— Penses-tu ! C'est de la blague, les histoires de porte-bonheur.

— Tu crois ?

— Absolument. Je préfère le rapporter à César Hensor : il offrira sûrement une récompense pour le récupérer. Ce sera bien plus rentable. Et toi, que vas-tu faire ?

— Tu peux me débarquer au Havre ? J'ai un train qui me ramènera vers Cheramy-Entrédon, où je vais rejoindre la tournée de Dynamite Bill.

— Tu vas continuer à gratter ta guitare ?

— Oui, p'pa. Je pense que je deviendrai moi aussi une grande vedette.

— Je le pense également. D'ailleurs, si tu es le digne fils de ton père, tu réussiras dans la vie, comme moi.

La péniche accoste à un quai du Havre. Éric saute à terre, fait un salut de la main et s'éloigne. Son père glisse un mince cigare dans la fente de son masque, l'allume et reste un long moment adossé à la cabine, contemplant l'activité d'une équipe de dockers qui s'occupent de décharger un cargo. Puis il jette son cigare dans l'eau, rentre dans la cabine et remet le moteur en marche. Le chaland repart vers l'amont de la Seine, à petite vitesse.

Il lui faut toute la journée pour remonter jusqu'à Vernon où il accoste afin que son pilote dorme quelques heures. Puis il repart et, à l'aube du jour suivant, revient à son port d'attache. Le Masque d'Argent met un chapeau qu'il enfonce jusqu'au niveau des yeux, cache ceux-ci derrière des lunettes sombres, et enveloppe le bas de son visage dans un grand foulard. Le col de son pardessus relevé, il va vers sa voiture, se met au volant et prend la route qui le conduit à la capitale.

Il s'arrête dans le quartier chic où habite César Hensor, pénètre dans l'immeuble, prend l'ascenseur jusqu'au dernier étage. Une plaque de laiton porte l'indication : CÉSAR HENSOR, IMPRÉSARIO. *Spectacles, Ballets, Music-Hall.*

Le Masque d'Argent sonne, attend. Un bruit de galopade se fait entendre, puis la porte s'ouvre à la volée, et une voix joyeuse s'exclame :

— Tiens ! Mais c'est notre masque en papier mâché ? Comment ça va, mon cher bonhomme ?

C'est Fantômette.

chapitre 13

Fantômette raconte des histoires

Il est impossible de dépeindre la stupéfaction que ressent le Masque d'Argent. Parce que son visage demeure invisible. En revanche, on entend très bien le « Ah ! » de surprise qu'il lance. Une surprise à laquelle se mêle la terreur que produirait la vue d'un fantôme[1].

Il esquisse un mouvement pour s'enfuir, mais Fantômette l'empoigne par la manche de son pardessus et l'entraîne à l'intérieur.

---

1. J'adore les fantômes ! Ils me font une peur épouvantable ! C'est merveilleux ! (Note spectrale de Ficelle.)

— Hé ! Ne vous sauvez pas si vite, mon bon monsieur ! Nous avons à causer, nous deux. Pas vrai ? Vous ne voulez pas que je vous explique comment je suis sortie de mon sac ? C'est pourtant bien simple ! J'avais dans une petite poche un scaphandre, et il m'a servi pour respirer dans l'eau pure de l'estuaire. Non, vous ne me croyez pas ? Vous avez bien raison, parce que ce n'est pas vrai. Venez par ici… asseyez-vous donc, c'est gratuit. Vous vouliez voir M. César Hensor, je suppose ? Ça tombe bien, parce qu'il habite justement ici. Quel heureux hasard, hein ? Tenez, le voilà qui vient…

L'imprésario vient précisément d'entrer. Il laisse tomber un regard méprisant sur le Masque et dit sèchement :

— Vous avez le Dragon d'or ?

L'aventurier masqué semble avoir été anéanti par la résurrection imprévue de la jeune justicière. Il pousse un soupir de résignation, met la main dans une poche, et sort le joyau. Puis au moment où il va pour le rendre, il se ravise.

— Et la prime ? Vous ne pouvez pas ne pas offrir une prime à celui qui vous rapporte ce talisman…

César Hensor lance avec indignation :

— Quoi ? Offrir une prime à un assassin ! Vous plaisantez ?

— Mais… Je ne suis pas un assassin, puisque Fantômette est toujours vivante…

— Possible, mais il y a eu tout de même tentative de meurtre.

Le Masque d'Argent a recouvré son sang-froid. Il se lève, remet le porte-bonheur dans sa poche et dit sèchement :

— Dans ces conditions, vous n'aurez rien. Pas de prime, pas de Dragon. Je le garde pour moi.

Il va pour faire demi-tour, quand Fantômette lui barre le passage.

— Doucement, mon joli masque. Pas question de vous sauver sans avoir restitué le talisman.

— Ce n'est pas toi qui pourrais me gêner, moustique.

— Pas moi peut-être. Mais d'autres gens *qui pourraient bien s'intéresser à votre trafic d'opium.*

Le Masque d'Argent sursaute.

— Quoi ? Tu es au courant de ça ?

— Je sais tout, moi ! Je sais que vous utilisez votre péniche comme couverture pour faire passer des caisses de drogue à l'étranger. Et que, si la police apprend votre petit trafic, vous allez moisir sur la paille fortement humidifiée des cachots, comme dit Ficelle. Allons, un bon geste. Donnez-moi le Dragon d'or...

L'aventurier hésite encore un instant. Puis il se résigne et tend le joyau à Fantômette qui le glisse dans une petite poche de sa tunique. Il fait demi-tour, va vers la porte, l'ouvre, s'arrête et se retourne.

— Dis-moi au moins comment tu as fait pour t'en sortir ?

— Ah ! Ça, je veux bien. Sinon, je sens que vous n'arriverez pas à vous endormir, s'pas ? Eh bien, c'est très simple. Vous vous souvenez que, lorsque nous étions à la gare de triage, vous étiez en train de surveiller le Furet ? Bon, alors il y avait aussi quelqu'un qui vous surveillait. Mon ami Œil de Lynx, qui devait revenir à la gare. Il vous a vu arriver en voiture. Et pendant que vous étiez occupé avec le Furet, il s'est caché dans le coffre. Lorsque nous avons embarqué sur la péniche, il a profité de l'obscurité pour se cacher dans le sable. Oui, il s'y est enfoui comme une taupe et il est resté là, le pauvre, jusqu'au moment où vous avez effectué le transbordement des caisses. Pendant que vous étiez très occupé à l'avant de la péniche, il était à l'arrière, en train de m'aider à sortir du sac. Il a fini de le remplir avec du sable, et vous avez balancé le tout dans l'eau. Œil de

Lynx s'est de nouveau caché sous le sable, et moi aussi. Nous en sommes sortis quand la péniche a fait escale au Havre pour permettre à Éric de débarquer. Nous sommes partis au moment où vous tourniez le dos. Vous étiez en train de regarder des dockers au travail. Voilà, c'est tout. Compris ? Eh bien, bon vent ! Ah ! J'oubliais un détail. Inutile de continuer votre trafic d'opium. Œil de Lynx en révèle tous les détails dans le *France-Flash* de ce matin.

Le Masque d'Argent pousse un nouveau soupir et s'en va. Définitivement. Fantômette sifflote un petit air joyeux et se tourne vers l'imprésario qui est resté debout, immobile, pour entendre le récit de l'aventurière.

— Cher monsieur, moi aussi je vais prendre congé. J'ai été ravie de faire votre connaissance.

César Hensor sourit.

— Vous oubliez de me rendre mon Dragon d'or.

— Ah ! C'est vrai : où avais-je la tête ?... *Votre* Dragon d'or. Mais au fait, j'y pense... est-ce vraiment *votre* Dragon ?

— Comment cela ? Bien sûr qu'il est à moi. Sinon, je n'offrirais pas une prime pour le récupérer.

— Ah ? C'est que... figurez-vous que j'ai un doute, moi.

— Un doute ? Comment cela ?

Un léger sourire se dessine sur les lèvres de la justicière.

— Le Masque d'Argent a eu droit à une belle histoire. Voulez-vous que je vous en raconte une aussi ? Cela commence comme un conte de fées. Il était une fois... un joli bijou chinois, en forme de dragon. Ce bijou était exposé en Californie, au Musée chinois de San Francisco. Un jour – ou plutôt une nuit –, un cambrioleur est entré dans le musée et s'est emparé du talisman. Quelques jours plus tard, l'objet se trouvait entre les mains d'un receleur chinois qui l'a revendu à un compatriote antiquaire, lequel était d'ailleurs parfaitement au courant du vol, parce que la photo du Dragon avait paru dans la presse. La semaine suivante, il se trouve qu'un imprésario venu d'Europe était à San Francisco pour l'organisation d'un spectacle. Il a vu le Dragon qu'on lui a présenté comme un porte-bonheur, il l'a acheté très cher. Comme les magazines parlaient encore du vol, il a su aussitôt que c'était un objet volé. Mais il s'est bien gardé de le rapporter au musée. Cet imprésario se nommait César Hensor.

L'homme est devenu de plus en plus pâle. D'une voix éteinte, il demande :

— Comment sais-tu ça ?

— Je vous répète que je sais toujours tout. Vous voulez que je vous explique ? Très simple. Un des envoyés spéciaux de *France-Flash* se trouvait à San Francisco au moment où le vol a eu lieu. Il s'est souvenu de la forme du Dragon et a fait aussitôt le rapprochement quand vous avez parlé de ce bijou. Il a signalé le fait à Œil de Lynx qui m'a mise au courant de l'affaire. Voilà. Conclusion : je vais renvoyer le Dragon au Musée chinois. Quant à vous, je vous conseille d'acheter une patte de lapin. Il paraît que ça porte bonheur !

Laissant l'imprésario fort déconfit, la jeune aventurière lui fait un petit salut de la main et s'en va en éclatant de rire !

Épilogue

Épilogue fortement artistique

— Levez toutes ensemble le pied gauche ! Très bien. Maintenant, le pied droit !

Boulotte proteste :

— Comment veux-tu qu'on lève les deux pieds en même temps ? On va tomber le derrière sur scène ! Ah ! Heureusement que je suis rembourrée…

Et la gourmande mord dans le bâton de nougat qu'elle tient pendant les répétitions de la superproduction ficélienne : *Fantômette, t'es chouette !* Car finalement Ficelle a décidé de monter elle-même son propre spectacle, ce qui va lui permettre de devenir très vite une vedette de premier plan.

Elle a donc mobilisé Françoise à laquelle elle a confié le rôle du Furet, Boulotte qui joue celui de Bulldozer, et Annie Barbemolle qui est Alpaga, Ficelle se réservant, bien entendu, le rôle de la fameuse justicière.

Les répétitions ont lieu dans le garage aimablement prêté par M. Boulon, mécanicien à Framboisy, qui ferme le dimanche.

C'est ce jour-là qui est réservé aux activités artistiques du *Théâtrama*, nom sous lequel se produira la nouvelle troupe, qui est marqué au feutre rouge sur une banderole de papier.

Posées sur deux établis, quelques planches constituent la scène. Une chaîne hi-fi fournit la sonorisation, et deux lampes baladeuses assurent l'éclairage. On se cogne contre les voitures en réparation, on renverse les bidons d'huile et on patauge dans le cambouis, mais qu'importe ! L'enthousiasme d'une jeune troupe théâtrale franchit tous les obstacles.

Ficelle s'est confectionné un costume de Fantômette avec du papier crépon et elle pince les cordes d'une guitare d'occasion empruntée à son cousin Gaétan Valacruchalo. D'une voix qui épouvante les araignées nichées au plafond, elle chante :

Han, han ! C'est moi Fantômette.
Hé, hé ! J'suis pas bête.
Han, han ! Mieux que Bill Dynamite.
Hé, hé ! Il est mangé aux mites !

Elle accompagne cet admirable refrain en faisant claquer ses larges semelles sur les planches, pendant que ses amies tapent avec des marteaux sur des bidons vides. Si la musicalité laisse peut-être à désirer, en revanche, l'intensité du son est frappante. Les Framboisiens qui passent devant le garage s'étonnent d'entendre des mécaniciens au travail un dimanche et soupçonnent le patron de leur faire faire clandestinement des heures supplémentaires.

Ficelle interrompt son numéro pour demander :

— Est-ce que l'une de vous a un sac ?

— Pour quoi faire ? demande Françoise.

— Pour que l'on m'enferme dedans. J'ai lu dans l'article d'Œil de Lynx que Fantômette a été enfermée dans un sac et jetée à l'eau. Il faut un sac pour qu'on m'enferme dedans.

Annie Barbemolle propose une solution :

— Il y a des vieux sacs à charbon dans notre cave. Je pourrai t'en apporter un, si tu veux ?

— Oui, c'est ça. Il faudra aussi trouver une vieille baignoire pour qu'on me mette dedans.

— Ce sera plus difficile. On pourrait peut-être te jeter un seau d'eau sur la tête ?

Ficelle réfléchit.

— Je pense que ça ne ferait pas le même effet. Et puis, je risquerais de m'enrhumer… À moins qu'on prenne de l'eau tiède…

Les répétitions se sont déroulées pendant trois dimanches de suite. Et le quatrième dimanche a eu lieu le magnifique spectacle du *Théâtrama,* devant un public choisi. Il y avait dans la salle, assis sur des piles de pneus : le cousin de Ficelle et sa sœur Aude Vayselle ; le fils de l'épicière, Jean Népludutou ; ainsi que ses camarades de classe Marius Tensil et Marc Enciel.

Le spectacle a été fort apprécié. On a écouté dans un silence religieux le merveilleux couplet murmuré d'une voix assourdissante par Fantômette-Ficelle :

Ho, hao ! Hohaaa ! Houaaa !
Yaaaa ! Yaaaa ! Hoooo ! Hooo !
Hein, hein, hein, hein !
Haaaa ! Haaaa ! Yo, hoûoûoû !

dont les paroles si fines resteront à jamais gravées dans les mémoires des spectateurs. Ceux-ci aimèrent aussi infiniment le numéro si personnel de Boulotte, qui réussit à engloutir sans aucune interruption cinq croissants au beurre, accompagnée par un solo de batterie (tournevis contre jerricane vide). Que dire de l'admirable performance de Françoise, dont l'imitation du Furet (rictus sinistre, poignard menaçant) glaça d'épouvante l'assistance tout entière !

Mais la palme revint sans conteste à la grande Ficelle. Son apparition hors du sac de charbon, noircie de la tête aux pieds, déchaîna une fantastique vague de rires et d'enthousiasme. Lorsqu'elle reçut le seau d'eau (tiède) sur la tête, ce fut du délire ! Un triomphe en tous points comparable à ceux que connaît Dynamite Bill. Les spectateurs montèrent sur scène pour arracher les vêtements de papier que portait la nouvelle Fantômette, à la grande satisfaction de celle-ci.

Après cette représentation inoubliable, quels sont les projets de la nouvelle étoile ? Elle les a confiés à *Cartable-Hebdo*, le journal de la classe :

« *Maintenant que je suis une très haute vedette, surtout quand je me perche sur une caisse, je vais organiser une grande tournée. Mon prochain spectacle sera intitutionné* Ficelle, t'es la plus belle ! *et il aura lieu partout ! Grâce à mon super théâtre promenadant, les représentations seront faites d'abord devant notre école, puis sur le parking municipal, puis dans la cour du boulanger. Ce sera donc un spectacle mondial ! Au programme, on pourra déguster la grande Ficelle qui chantera une chanson formid' dont le titre sera sûrement :* Yaaaa ! Ho, hoooo ! Yayaaa ! *Puis Ficelle se déguisera en danseuse de l'an 3000, et vous pourrez admirer ses superbes chaussettes jaunes. Enfin, l'inoubliable Ficelle chantera et dansera en même temps, en direct et sans play-back ! Cette extraordinaire performance vous permettra de la voir et de l'entendre dans son numéro inaudible qui s'appellera :* J'suis folle… J'ai la dent molle ! »

La jeune artiste est déjà en train de préparer les affiches du nouveau spectacle, qui seront répandues sur les arbres ou les panneaux électoraux de Framboisy. Dès que vous aurez connaissance des dates de cette manifestation artistique, ne manquez pas de prendre vos places, parce qu'il n'y en aura certainement pas pour tout le monde. La location est ouverte à la sortie de l'école. Demandez Mlle Ficelle.

Si par hasard elle est absente, c'est qu'elle aura été retenue en classe par Mlle Bigoudi, l'institutrice, qui aura infligé à son élève de copier dix fois le verbe : *Ne pas chanter des chansons idiotes pendant les leçons de mathématiques,* à tous les temps et modes.

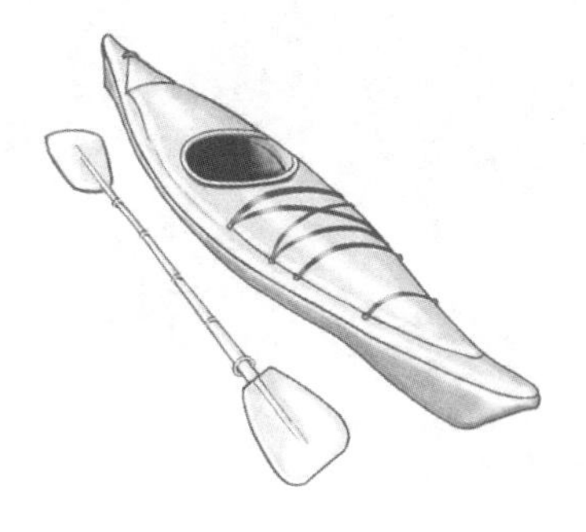

Tourne vite la page pour découvrir les autres aventures de Fantômette en Bibliothèque Rose !

Fantômette

Les exploits de Fantômette

Fantômette et le trésor du pharaon

Fantômette et l'île de la sorcière

Fantômette et son prince

Les sept Fantômettes

Tu aimes Fantômette ?

Tourne vite la page pour découvrir les autres séries classiques de La Bibliothèque Rose !

Les Six Compagnons

Les Six Compagnons
de la Croix-Rousse

Les Six Compagnons
et l'homme des neiges

Les Six Compagnons
et le mystère du parc

Les Six Compagnons
à Scotland Yard

Les Six Compagnons
au village englouti

Les Six Compagnons
et la bouteille à la mer

Le Clan des Sept

Le Clan des Sept va au cirque

Le Clan des Sept à la Grange-aux-Loups

Le Clan des Sept et les bonshommes de neige

Le Clan des Sept et le mystère de la caverne

Le Clan des Sept à la rescousse

Le Club des Cinq

1. Le Club des Cinq et le trésor de l'île

2. Le Club des Cinq et le passage secret

3. Le Club des Cinq contre-attaque

4. Le Club des Cinq en vacances

5. Le Club des Cinq en péril

6. Le Club des Cinq et le cirque de l'Étoile

7. Le Club des Cinq en randonnée

8. Le Club des Cinq pris au piège

9. Le Club des Cinq aux sports d'hiver

10. Le Club des Cin
va camper

11. Le Club des Cinq au bord de la mer

12. Le Club des Cinq et le château de Mauclerc

13. Le Club des Cinq joue et gagne

14. La locomotive du Club des Cinq

15. Enlèvement au Club des Cinq

16. Le Club des Cinq et la maison hantée

17. Le Club des Cinq et les papillons

18. Le Club des Cinq et le coffre aux merveilles

19. La boussole du Club des Cinq

20. Le Club des Cinq et le secret du vieux puits

21. Le Club des Cinq en embuscade

22. Les Cinq sont les plus forts

23. Les Cinq au cap des Tempêtes

24. Les Cinq mènent l'enquête

25. Les Cinq à la télévision

26. Les Cinq et les pirates du ciel

27. Les Cinq contre le Masque Noir

28. Les Cinq et le Galion d'or

29. Les Cinq et la statue inca

30. Les Cinq se mettent en quatre

31. Les Cinq et la fortune des Saint-Maur

32. Les Cinq et le rayon Z

33. Les Cinq vendent la peau de l'ours

34. Les Cinq et le portrait volé

35. Les Cinq et le rubis d'Akbar

L'Étalon Noir

1. L'Étalon Noir

2. Le retour de l'Étalon Noir

3. Le ranch de l'Étalon Noir

4. Le fils de l'Étalon Noir

5. L'empreinte de l'Étalon Noir

6. La révolte de l'Étalon Noir

7. Sur les traces
de l'Étalon Noir

8. Le prestige de
l'Étalon Noir

9. Le secret de
l'Étalon Noir

10. Flamme,
cheval sauvage

11. Flamme
et les pur-sang

12. Flamme
part en flèche

La Comtesse de Ségur

Les Malheurs de Sophie

Les Petites Filles Modèles

Les Vacances

Le Général Dourakine

Après la pluie le beau temps

Mémoires d'un âne

Quel Amour d'Enfant !

François le bossu

Un bon Petit Diable

Les bons enfants

Les Deux Nigauds

Jean qui grogne
et Jean qui rit

Nouveaux Contes de Fées

Le mauvais génie

L'auberge de l'Ange-Gardien

Alice

Alice et le chandelier

Alice et les faux-monnayeurs

Alice et les diamants

Alice et le diadème

Alice au ranch

Alice et la pantoufle d'hermine

Alice au bal masqué

Alice et le violon tzigane

Alice et le carnet vert

Alice et le médaillon d'or

Alice chercheuse d'or

Alice écuyère

Alice à Venise

Alice et le cheval volé

Alice au manoir hanté

Alice chez le grand couturier

Table

hachette s'engage pour l'environnement en réduisant l'empreinte carbone de ses livres. Celle de cet exemplaire est de :
400 g éq. CO_2
Rendez-vous sur www.hachette-durable.fr

Photogravure Nord Compo - Villeneuve d'Ascq

Imprimé en Roumanie par G. Canale & C. S.A.
Dépôt légal : décembre 2013
Achevé d'imprimer : décembre 2013
20.4197.8/01 – ISBN 978-2-01-204197-4
Loi n° 49956 du 16 juillet 1949
sur les publications destinées à la jeunesse